Mont Tremblant

Louise Arbique
avec la collaboration de Marc Blais

Mont Tremblant

LA POURSUITE D'UN RÊVE

CARTE BLANCHE

Assistant de recherche : Gilles Parent
Assistante à la rédaction : Suzanne Léveillé
Recherche iconographique : Guy Fradette
Maquette : Gianni Caccia

Photo de la couverture : Thérèse Fraysse
Photos d'époque de la couverture : Collection Gray Rocks

Idée originale : Louise Arbique

Les Éditions Carte Blanche
ISBN 2-922291-11-1

Distribution au Canada :
Fides
165, rue Deslauriers
Saint-Laurent (Québec)
Téléphone : (514) 745-4290
Télécopieur : (514) 745-4299

© Association de villégiature Tremblant, 1998

Dépôt légal : 4e trimestre 1998
Bibliothèque nationale du Québec

Préface

JE SUIS FASCINÉ par cette attirance qu'ont les hommes et les femmes pour les sommets enneigés. Après tout, en construisant des villages sur les plus belles montagnes, je consacre une bonne partie de ma vie à en faciliter l'accès par tous les temps.

Quand on y songe, depuis des temps immémoriaux, différentes sociétés vont à la montagne espérant y trouver une meilleure qualité de vie ou y trouver refuge, comme si le fait de s'élever sur un sommet procurait un sentiment de protection et de tranquillité. Pourtant, ce n'est que tout récemment que les alpinistes ont été attirés par la conquête des plus hauts sommets ou que les skieurs ont appris à en dévaler les pentes enneigées, et depuis ce temps l'histoire d'amour entre le skieur et la montagne a résisté à toutes les modes et à toutes les tendances. Pourquoi ? Pourquoi la montagne enneigée suscite-t-elle tant de passions ? En regardant un film où Ernie McCulloch, le plus grand skieur canadien de la première moitié du siècle, s'élançait sur les piste, libre comme l'air et dansant avec la neige, j'ai eu l'impression de voir un oiseau voler. Et soudain, j'ai compris que le ski offre à tous, qu'on soit riche ou pauvre, jeune ou vieux, quel que soit son niveau social ou sa condition physique, le ski offre à tous, la même impression fabuleuse de voler. On se sent libre. Et cette sensation oblige tous les skieurs à reléguer loin derrière problèmes et tracas pour vivre totalement au présent dès que les skis commencent à glisser sur la neige et à fendre le vent.

Moi qui suis habitué à la beauté aride et spectaculaire des montagnes abruptes et effilées, en arrivant au sommet du Mont Tremblant, j'ai été stupéfait. J'avais à mes pieds un paysage nouveau composé de montagnes tout en rondeurs qui s'étendaient à l'infini, et j'ai été envahi d'un grand calme. J'ai reconnu à travers cette paix la douceur des Québécois. Devant ce paysage à couper le souffle, j'aurais aimé être le premier à donner aux gens la possibilité d'admirer ces beautés et de skier sur la plus belle montagne des Laurentides. J'aurais aimé dire « I'll fix that », mais, comme vous le découvrirez à la lecture de ce livre, il y a soixante ans, Joe Ryan était là le premier.

Joe Ryan en rêvait et nous entendons porter son rêve à travers le XXIe siècle.

Bonne lecture.

JOE HOUSSIAN

Avant-propos

SI TREMBLANT EST DEVENU aujourd'hui une station touristique internationalement reconnue dont on vante la majestueuse beauté du site, la qualité des infrastructures hôtelières et le ski qu'on y pratique, c'est d'abord et avant tout grâce à la passion d'hommes et de femmes dont la ténacité étonne encore et toujours.

À travers ce récit, l'auteure raconte avec force détails la petite histoire « devenue grande » de Tremblant. Pour que rien n'échappe aux lecteurs, elle remonte d'abord aux origines des Laurentides qui, après avoir brisé le carcan de glace qui les emprisonnait, nous ont donné cette merveilleuse région parsemée de lacs et de rivières. Elle nous amène ensuite chez les premiers occupants de la région, les Amérindiens, puis nous fait franchir cette « barrière infranchissable » qu'étaient les Laurentides avec l'arrivée massive des premiers colons à la fin du XIXe siècle. Elle poursuit avec l'histoire du curé Antoine Labelle, le « roi du Nord », qui, grâce à la construction du chemin de fer, a amené touristes et développeurs jusqu'à Saint-Jovite. Parmi ces derniers, George Wheeler, le fondateur de l'hôtel Gray Rocks, depuis lequel Joe Ryan découvrira le Mont Tremblant en 1938 et en fera une des stations de ski les plus fréquentées en Amérique du Nord.

En passant par l'explorateur polaire Fridtjof Nansen, qui popularisera le ski à travers le monde, jusqu'au légendaire Herman Smith Johannsen, dit Jackrabbit, ainsi que tous les amoureux de Tremblant, les champions de ski et les maîtres tel Ernie McCulloch, Louise Arbique marque avec soin la passion de chacune des personnes qui ont contribué à faire de Tremblant ce qu'il est devenu. L'auteure campe chaque étape, belle ou douloureuse, de cette merveilleuse histoire jusqu'à ce qu'en 1991 le Groupe Intrawest de Vancouver donne à la « montagne tremblante » un nouveau visage, un nouveau cachet et une nouvelle vie.

Quant à moi, je profite de l'occasion qui m'est offerte pour féliciter Louise Arbique qui mérite toute notre reconnaissance pour la qualité de son œuvre et l'originalité de sa présentation.

ANDRÉ CHARRON

Tremblant, 1998

Introduction

Jamais je n'aurais cru qu'une montagne pouvait cacher une histoire aussi riche, aussi belle et aussi mouvementée. L'histoire du Mont Tremblant n'est pas le simple récit du développement d'une montagne et de la construction de pistes de ski, c'est une histoire faite de passion, de courage, de détermination et de douce folie. Une belle et grande aventure.

Une aventure d'ailleurs qui, en cours de recherche et d'écriture, nous a confrontés à un problème surprenant, qui a connu un dénouement inattendu. Ainsi en va-t-il de la date d'arrivée de Joe Ryan sur la montagne et du début des premiers travaux d'aménagement. Selon nos sources orales et écrites, les dates varient de 1936 à 1941.

Nous avons opté pour février 1938, car cette version des faits nous a semblé la plus compatible avec la personnalité de Joe Ryan. Joe a la réputation d'agir alors même que tous les autres continuent à réfléchir. Il est donc très probable que dès qu'il grimpe au sommet de Tremblant, il devienne immédiatement obnubilé par le projet qui commence à prendre forme dans sa tête et qu'il se lance sans attendre dans la grande aventure du Mont Tremblant Lodge. Mais pouvait-on être assuré que ce soit la bonne date ?

Étrangement, la réponse au problème se trouvait dans les poubelles du Mont Tremblant. Pete Chauvin, un employé de la station, trouve une pile de vieilles photographies aux rebuts, et y découvre une lettre signée de la main du curé DesLauriers et datée du 5 mai 1941. Dans cette lettre, le curé apporte quelques corrections à l'article d'un certain Clayton Fischer qui l'avait interviewé quelque temps auparavant. L'article, intitulé « Ski Angels », relatait les débuts du Mont Tremblant Lodge et donnait comme date d'ascension de la montagne février 1938. Pourquoi le curé, qui apporte diverses corrections, ne corrige-t-il pas cette date si elle est fausse ? Probablement parce que c'est la bonne.

L'histoire que vous lirez est celle d'hommes et de femmes tous plus amoureux les uns que les autres de la montagne et du ski. Des gens capables de se mesurer à la montagne et aux éléments. De merveilleux fous à qui les différents développeurs ont rendu hommage en donnant leurs noms à plusieurs pistes qui jalonnent la montagne. Et c'est ainsi qu'il m'est apparu que je pouvais raconter l'histoire du Mont Tremblant à travers les noms de dix-sept pistes et que cette station de ski comptait parmi les rares montagnes à pouvoir s'offrir ce luxe. Il va de soi qu'il m'a fallu faire des choix. Les pistes sélectionnées pour raconter l'histoire de Tremblant sont celles qui nous ramènent dans le passé et nous permettent d'amorcer autant de récits qui font de l'histoire de Tremblant une grande aventure.

Louise Arbique

La Géant

			INCLINAISON %			
NIVEAU	DÉNIVELÉ (M)	LONG. (M)	MOY.	MAX.	LARG.	SURFACE (HA)
4	452	2226	21	40	42	9,4

Le Mont Tremblant fait partie du plus haut massif des Laurentides méridionales, une des plus vieilles chaînes de montagnes de la terre. Et si le nom de Géant souligne que Tremblant s'inscrit aujourd'hui comme une station d'envergure internationale, il a aussi pour mission de nous rappeler qu'il y a un milliard d'années, les Laurentides recouvertes de plusieurs kilomètres de roches étaient bel et bien le toit du monde. Un Himalaya fait de pierres et de glaces.

Q UE S'EST-IL PASSÉ pour qu'aujourd'hui les Laurentides aient l'aspect d'un assemblage de petites montagnes basses et rondes qui, parfois, prennent même l'allure de collines ?

Il s'est passé un milliard d'années, pendant lesquelles, sous l'action des gels et des dégels successifs, les roches qui formaient les Laurentides se sont érodées, dégageant peu à peu la chaîne de montagnes que nous connaissons aujourd'hui. Puis, dans leurs mouvements, les calottes glacières ont nivelé le paysage, adouci les formes et arrondi les arêtes rocheuses à la manière d'un papier sablé venu polir le paysage. C'est ainsi qu'il y a environ 10 000 ans, le Mont Tremblant,

Vue du haut du Mont Tremblant.
(Photo : Thérèse Fraysse)

Des lichens colorés s'étendent partout même jusqu'au pied des glaciers.

Dès le retrait du glacier on voit apparaître une végétation abondante quoique de petite taille.
Île Ellesmere, Arctique canadien.

(Photos: Marc Blais)

enseveli sous plus ou moins 1500 mètres d'épaisseur de glace, se libère définitivement de son carcan glacé et revêt sa forme finale.

Au moment de leur retraite, les derniers glaciers nous ont laissé un paysage désertique, fait de pierres concassées, qui à première vue ne donnait aucune prise à la végétation. Un paysage aride, qui offrait un spectacle semblable à celui que l'on voit encore aujourd'hui dans l'Arctique canadien. Et pourtant, malgré tout, grâce à un sol broyé riche en minéraux de toutes sortes et un climat qui devient de plus en plus clément, la région des Laurentides finit par se couvrir d'une forêt verdoyante qui devient rapidement un havre pour une faune et une flore abondantes et diversifiées. Et si la glaciation a d'abord laissé un sol en apparence infertile, elle nous a tout de même légué un pays de lacs et de rivières. Au moins un million de lacs ont été baptisés et un aussi grand nombre ne portent pas encore de nom. On ne peut parler du paysage laurentien sans évoquer avec émotion la beauté et la multitude des cours d'eau qui jalonnent ses forêts. Pays aux millions de montagnes, de lacs et de rivières, calmes ou tumultueuses. Eaux qui coulent en torrents qui grondent et serpentent au fond de fabuleuses gorges étroites, rappelant l'immensité des étendues intérieures.

Puis, un jour, il y a environ 8000 ans de cela, des hommes commencent à peupler ces territoires encore vierges. Des hommes, venus de Sibérie par le détroit de Béring alors à sec, s'installent dans les Laurentides et dans la région du Mont Tremblant. Des hommes et des femmes qui vivent de la chasse, de la pêche et de la cueillette des fruits. Des peuples qui écoutent et comprennent le langage et les secrets de la forêt et qui voient en la montagne un endroit accueillant. Des gens intelligents, débrouillards et inventifs, qui non seulement apprennent à vivre en harmonie avec la nature mais savent déchiffrer la forêt, utiliser ses ressources et bénéficier de ses largesses. Les Autochtones font montre d'une technologie avancée et bien adaptée à leur environnement. L'invention du canot, par exemple, est aussi importante pour les premières nations amérindiennes que l'invention de la roue pour l'humanité. Cette embarcation ne leur a-t-elle pas permis de voyager sur la quasi totalité du continent nord-américain ?

Pendant près de 7900 ans, différentes nations amérindiennes ont vécu uniquement des ressources de la forêt. Ces peuples nous ont légué une tradition orale, des contes et des légendes qui nous instruisent sur la relation harmonieuse qu'ils ont su développer avec la nature. Puis, il y a à peine 100 ans, les premiers Blancs ont découvert les beautés des Laurentides et sont venus, à leur tour, s'y installer. Et en s'élevant en haut du massif Tremblant, ils ont pu eux aussi contempler le même paysage que les premiers hommes arrivés dans la région.

Encore aujourd'hui, du sommet du Mont Tremblant, on voit vers le nord un paysage resté vierge et on remarque des cicatrices gravées dans la roche qui témoignent du passage des derniers glaciers. Mais si 12 000 ans d'histoire sont tracés sur la pierre, elle n'est pas la seule porteuse des traces de l'ère glaciaire. La terre, elle, qui tremble encore parfois, est un souvenir toujours vivant des glaciers qui la recouvraient. Il apparaît que sous le poids gigantesque de cette glace, le sol des Laurentides se serait littéralement affaissé et que, depuis la fonte des glaciers, la terre tremble, cherchant ainsi à reprendre sa position initiale.

Le massif Tremblant est composé de quatre sommets baptisés aujourd'hui le Johannsen, le Pic Pangman et Gillespie (compagnons de Johannsen, voir

Une végétation microscopique recouvre le sol là où les glaciers ont perdu leur emprise.
(Photo: Marc Blais)

chapitre 4) et le Pic White. Ce dernier, nous le connaissons mieux sous le nom de Mont Tremblant. Avec ses montagnes plus arides, mieux détachées, plus effilées et aux arêtes plus aiguës, plus prononcées qu'ailleurs dans les Laurentides, le massif Tremblant émerge véritablement du paysage à la manière d'un géant. La vue du haut des sommets porte toujours à l'infini, sur un paysage unique. Après tout, Tremblant est encore et toujours situé au cœur d'une des grandes régions sauvages de la terre, laquelle, il y a quelques années seulement, était considérée comme la frontière du Grand Nord.

Le passage de nombreuses glaciations adoucit le paysage.
Île Ellesmere, Arctique canadien.
(Photo: Marc Blais)

Page précédente: Dans le haut Arctique canadien, la langue d'un glacier en retrait laisse derrière elle un sol broyé, riche en minéraux.
(Photo: Marc Blais)

LA LÉGENDE DE MANITONGA SOUTANA OU LA MONTAGNE TREMBLANTE

Il y a de cela bien des lunes, le territoire que l'on appelle aujourd'hui le parc du Mont-Tremblant faisait partie de la Petite Nation des Algonquins. La montagne qui dominait le paysage fut nommée Manitonga Soutana, la montagne des Esprits. La légende raconte que si quelqu'un osait enfreindre les lois sacrées de la nature, le grand manitou faisait trembler la montagne. Mais celui qui respectait les lois respirait le parfum des fleurs, pouvait boire aux sources limpides, s'enivrait de l'air pur de l'aurore et se réjouissait du chant d'innombrables oiseaux. Le Conseil des Manitous avait édicté les lois sacrées de la nature: ne tue point, sauf pour te défendre ou par nécessité, aime la plus humble des plantes, respecte les arbres.

Ainsi les Indiens craignaient-ils la Montagne tremblante qui faisait entendre des bruits sourds comme des grondements lorsque l'homme s'avisait de troubler la tranquillité des lieux.

La Rigodon

| NIVEAU | DÉNIVELÉ (M) | LONG. (M) | INCLINAISON % | | LARG. | SURFACE (HA) |
			MOY.	MAX.		
5	261	1115	23	43	54	6,23

Le rigodon est un air et une danse rythmée d'origine provençale amenée de France au XVIIe siècle par les premiers colons et perpétuée au Québec dans les campagnes et les villages. Cette musique endiablée exprime la gaieté, la joie de vivre et invite au rassemblement. La piste Rigodon suit le tracé de l'ancienne remontée par câble (Rope Tow) qui avait été installée dès l'ouverture du côté Nord en 1948. Intrawest en fait une piste de ski en 1992. La piste de 1,115 kilomètres de longueur ne couvre que le quart supérieur de la montagne. La Rigodon longe la remontée Lowell Thomas.

JUSQU'AU MILIEU du siècle dernier, le régiment de montagnes qui forme les Laurentides s'érige en une barrière infranchissable pour les colons. De plus, le froid glacial des hivers québécois, les loups et les ours qui hantent la forêt dense ainsi que tous les récits d'aventure qui se terminent par mort d'homme finissent de tenir à bonne distance le pauvre cultivateur, le plus souvent sans instruction et prêt à croire mythes et légendes. Seuls les plus téméraires, les explorateurs, les voyageurs et les coureurs des bois, osent s'y aventurer, car les

Paysage laurentien à l'automne.
(Photo: Daniel Lévesque)

Les hautes instances du peuple
québécois réussissent à convaincre
les colons de franchir la barrière
des Laurentides pour enrayer l'exode
vers les États-Unis.

(Photo: Photo Côté, Sainte-Agathe-des-Monts)

Laurentides, ce n'est pas que la forêt, c'est aussi la frontière du Grand Nord. Et qu'on le perçoive comme effrayant ou grandiose, le Grand Nord avait et a toujours quelque chose de fascinant. Il représente, dans l'imaginaire collectif, l'aventure, l'inconnu, l'impalpable. C'est une façon pour l'homme de se mesurer à la nature mais, surtout, à ses propres limites. Le Grand Nord était et reste un mythe indéfinissable.

Au début du siècle dernier, la croyance populaire veut que le Grand Nord prenne naissance là où est située maintenant la ville de Sainte-Agathe. Et si aujourd'hui on sourit à cette pensée, nous pour qui le Grand Nord est le pays des Inuits et des ours polaires, nous nous leurrons. Cette mystérieuse région de la terre n'a reculé que de quelques centaines de kilomètres depuis un siècle et avec un peu d'imagination, on peut arriver à la voir du sommet du Mont Tremblant, car en fait, le Grand Nord a une frontière qui fluctue, selon la personne qui en parle.

Paysage laurentien.
(Photo : Daniel Lévesque)

Alors pour franchir cette frontière et amener les gens à s'installer dans les Laurentides il a fallu non pas une, mais quatre révolutions : la révolution américaine, la révolution industrielle en Angleterre, une certaine révolution des esprits et la dernière, et non la moindre, la révolution du ski.

La guerre de Sécession amène au Québec un flot d'immigrants américains qui s'installent, entre autres, au nord de la rivière des Outaouais, au pied de la chaîne de montagnes des Laurentides, une région appelée les Basses Laurentides, juste au nord de Montréal. De son côté, le gouvernement canadien incite des immigrants anglophones à venir s'installer au Québec. Et, en effet, plusieurs Écossais, victimes de la misère et de la famine qui règnent en Angleterre, se laissent séduire par les promesses de prospérité et de bonheur et arrivent en très grand nombre. Ce bastion d'immigrants rejoint les Américains déjà là et occupe à son tour les bonnes terres, ce qui a pour effet de freiner l'expansion des colons francophones et catholiques qui se sont tout de même rendus jusqu'à Saint-Jérôme.

Les francophones ont une tradition qui veut que la terre familiale soit donnée à l'aîné de la famille. Mais les autres, où peuvent-ils aller ? Les villes se développent, mais comme en Europe, les prémices de la révolution industrielle amènent le chômage et la pauvreté. C'est l'exode. Il y a promesse d'une vie meilleure dans les filatures de coton aux États-Unis et c'est par centaines qu'on voit les Québécois à leur tour partir à la rencontre d'un avenir plus prometteur. Celui-là même que les Américains, les Écossais et plus tard les Irlandais viendront chercher ici.

Les hautes instances du peuple et le clergé, voulant de toute urgence stopper cette saignée vers les États-Unis, décident d'ouvrir de nouvelles terres à la colonisation : les Laurentides. Mais par quels moyens réussiront-ils à convaincre les gens de s'aventurer dans cette région sauvage ? Dès qu'une idée est ancrée dans la tête des gens, il faut faire appel à des concepts et à des arguments d'une grande puissance pour révolutionner les esprits. Pour frapper l'imagination, on va jusqu'à leur dire que les Laurentides sont un Éden, un Eldorado agricole, une Nouvelle Suisse, où l'industrie laitière pourra s'épanouir. En fait, ce qu'on demande au peuple, c'est de se tourner vers son propre pays et non vers l'étranger pour mettre un terme à ses misères. Il faut révolutionner les esprits, démontrer que cette barrière du Nord est beaucoup plus mentale que physique.

La terre ne tient pas ses promesses
et les colons sont plongés dans la pauvreté.
(Photo : Photo Côté, Sainte-Agathe-des-Monts)

On fait appel à l'esprit d'aventure des hommes, mais surtout à l'espoir qu'ils trouveront, grâce à ces terres inconnues, le moyen de nourrir leur famille. Petit à petit, autour des années 1840, les gens répondent à l'appel. Et c'est ainsi que l'on voit apparaître au nord de Saint-Jérôme des villages comme Shawbridge, Saint-Sauveur, Sainte-Adèle et, quelques années plus tard, Sainte-Agathe.

Si les colons viennent dans les Laurentides pour cultiver la terre, ils constatent rapidement que cette terre est pauvre et qu'elle ne suffira pas à les nourrir. Non, c'est plutôt la forêt pleine à craquer de pins blancs qui deviendra le pourvoyeur. On se tourne donc vers la coupe et la vente du bois. On voit pousser des moulins à scie le long de la rivière du Nord et se développer des petits chemins de fortune qui relient les villages entre eux. On monte toujours un peu plus au nord, pour descendre toujours plus de bois vers le sud. Mais, en

Cette maison construite par Joe Ryan et rénovée plus récemment est bien représentative des maisons d'autrefois où les colons accueillaient les touristes durant la saison chaude.
(Collection: Tremblant)

même temps que le bois, arrive aussi aux gens de la ville une vision complètement transformée des Laurentides. Cette région autrefois inatteignable est devenue un endroit accueillant qui offre une extraordinaire diversité de lacs paisibles et de rivières tumultueuses, une faune et une flore abondantes, des vallées accueillantes et surtout des paysages grandioses. Il y a des animaux dans les forêts et des poissons dans les lacs et les rivières : il n'en faut pas plus pour aiguiser la curiosité des Montréalais qui commencent à venir en villégiateurs découvrir cet endroit sauvage et exotique. Heureusement d'ailleurs, car à force de couper le bois, et de ne pas en replanter, les colons épuisent les ressources commerciales de la forêt et la misère reprend sa place d'antan. Les colons sont une fois de plus en état d'urgence, car la terre promise ne tient pas ses promesses.

Comme c'est toujours en période de crise que se révèle le pire et le meilleur de l'être humain, les Laurentides voient émerger une force de la nature, un homme que rien n'arrête, un visionnaire qui croit en l'avenir des Laurentides, et dont l'action constante pour le développement lui a valu le titre de Père de la colonisation : le curé Antoine Labelle. Comme tous les visionnaires, le curé Labelle poursuit un rêve et le sien tient en trois mots : développer les Laurentides. Pour lui, il est clair que le tourisme, autant que l'agriculture et la forêt, sera une source de revenu.

Aidé des autres curés, le Père de la colonisation convainc les colons d'accueillir les villégiateurs à bras ouverts et de faire en sorte que les touristes reconnaissent les Laurentides comme un endroit chaleureux. Dès qu'arrive l'été, les habitants se rendent à la gare chercher les touristes, chasseurs, pêcheurs et explorateurs. Ils les entassent dans leurs « buggys » et les hébergent dans leurs maisons bleues, rouges, orangées ou rose « nanane » que les anglophones prononceront rose « ananane » qu'ils traduisent finalement par « candy pink ». On leur fait une place autour de la table, on chante, on danse et, le soir venu, on leur fait aussi une place dans les chambres.

Malgré une vie rude, les colons font preuve de courage, de persévérance et de ténacité. Ils restent de bons vivants.

La Bon-vivant

| | | | INCLINAISON % | | | |
NIVEAU	DÉNIVELÉ (M)	LONG. (M)	MOY.	MAX.	LARG.	SURFACE (HA)
1	70	1000	7	7	15	1,5

Un bon vivant est une personne capable de bonne humeur malgré des conditions de vie difficile ; qui aime la bonne chère, la bonne musique et, parfois, le bon vin. Le curé Antoine Labelle en est un bon exemple.

Intrawest ouvre la Bon-vivant en 1993 pour revenir sur le versant sud à partir du sommet appelé Edge. La piste coule en pente douce sur un kilomètre dans une allée étroite et bordée d'épinettes. Elle aboutit dans une combe entre les sommets Edge et White Peak (Mont Tremblant) dans le premier lacet de la Nansen.

SI ON PEUT ATTRIBUER le qualificatif de bon vivant à bien des colons qui, malgré une vie rude, ont su garder le moral, un personnage parmi eux le mérite encore plus et c'est le curé Labelle. Pendant des années ce géant de la colonisation a tenu à bout de bras le rêve d'une bonne partie du peuple : celui de développer le pays pour pouvoir y rester.

Un régiment de montagnes s'érige en barrière infranchissable pour les colons.
(Photo : Daniel Lévesque)

Le curé Labelle, une force de la nature.
(Collection : Paroisse de Saint-Jérôme)

23

Antoine Labelle, le Roi du Nord.
(Collection : Paroisse de Saint-Jérôme)

Le curé Labelle aime ce pays et la vue de l'émigration forcée de centaines de colons qui doivent chercher du travail aux États-Unis le choque et le bouleverse. Comment garder les familles au pays ? Bien sûr, dans les Laurentides on trouve de nouvelles terres propices à la colonisation, mais il doit se rendre à l'évidence : le sol et la forêt n'arrivent pas à nourrir convenablement les familles. De plus, les soubresauts de l'industrie forestière sont imprévisibles et en inquiètent plusieurs.

Mais le curé voit la chose d'un autre œil. Si le sol est pauvre et la forêt capricieuse, il n'en demeure pas moins que les Laurentides cachent des trésors de beautés. Le curé est persuadé que ce coin de pays est voué à un brillant avenir touristique et que « l'on verra arriver ici de pleins chars de touristes ! » Il reste à se mettre à la tâche et développer une industrie touristique.

En 1869, à peine un an après sa nomination à la cure de Saint-Jérôme, le curé Labelle demande à l'abbé Jodoin, son bras droit, de se joindre à une expédition de chasse et de pêche qui se rend au-delà de Sainte-Agathe pour parcourir la vallée du Diable, restée inexplorée. L'abbé Jodoin a pour mission d'examiner les lieux et d'évaluer si cet endroit est propice à la colonisation. Ils traversent un territoire tellement difficile à franchir qu'on l'appellera plus tard la Repousse et l'Épouvante. Ils atteignent enfin la Diable et rejoignent le Mont Tremblant. À son retour, l'abbé Jodoin fait un rapport des plus enthousiastes sur cette région aux paysages et aux montagnes grandioses. Il n'en faut pas plus au curé Labelle pour le conforter dans sa décision de développer le Nord et d'y amener le tourisme. Ainsi commence sa croisade.

Dorénavant, on voit régulièrement ce géant de 136 kilos, vêtu de sa soutane reprisée, arpenter les allées du pouvoir. Le curé Labelle, qui n'est pas particulièrement « politically correct », n'hésite pas à brasser députés et ministres pour obtenir que le chemin de fer se rende dans le Nord.

En 1872, le curé décide d'affronter lui-même le chemin de colonisation de la Repousse et de l'Épouvante, et de se rendre au Mont Tremblant. Tout comme l'abbé Jodoin, il tombe sous le charme. Le curé est envoûté par la vallée de la Diable et la montagne tremblante, tellement qu'il fait même le souhait de finir ses jours sur ses flancs.

En 1876, on voit le P'tit Train du Nord entrer en gare à Saint-Jérôme, puis peu à peu percer à travers les petits villages des Laurentides. Le curé Labelle a

Gare de Sainte-Agathe. Tel que l'avait prédit le Père de la colonisation, les touristes affluent dans les Laurentides.
(Photo: Photo Côté, Sainte-Agathe-des-Monts)

gagné une première bataille. Dès lors, il met tout son temps et son courage à fonder de nouvelles paroisses dans les cantons du Nord. Le curé est partout. Il voyage à travers la forêt à la découverte de nouvelles paroisses. Il imagine les futures églises, encourage les colons à monter toujours un peu plus au nord. Entre deux voyages en canot, il monte à Québec remuer ciel et terre pour obtenir le prolongement, toujours plus au nord, du chemin de fer, devenu une véritable obsession pour le Père de la colonisation.

Tel qu'il l'avait prédit, les touristes affluent à la suite de l'arrivée du train. Mais ce succès ne satisfait pas le curé qui veut voir le train se rendre jusqu'à Saint-Jovite. Malheureusement, il meurt en 1891, un an à peine avant que son vœu ne soit réalisé.

Grâce au train, Saint-Jovite accueille dorénavant visiteurs, villégiateurs, chasseurs et pêcheurs. Parmi eux, arrive un homme d'affaires, George Ernest Wheeler, originaire de Chazy dans l'État de New York. Séduit à son tour par les beautés de la région et la promesse de prospérité, Wheeler décide de s'établir au lac Ouimet et d'y construire une scierie.

À la fin du siècle dernier, l'industrie du bois amène une ère de prospérité dans les Laurentides et tous les colons désireux d'y travailler ont de l'ouvrage.

George Wheeler,
fondateur du Gray Rocks.

(Collection: Gray Rocks)

Mais pour nourrir leurs familles, les hommes doivent les quitter du mois de septembre jusqu'à la fin de mars pour se joindre aux draveurs. Leurs femmes, elles, resteront à la fenêtre jusqu'au début de l'été...

Les bûcherons mangent des « binnes », du lard salé et des galettes à la mélasse. Les soirées sont longues loin de leurs femmes et leurs enfants. Ils les passent donc en se racontant des contes et légendes du terroir, où le diable tient le premier rôle. Quand la coupe de bois est terminée, les chantiers se vident et les rivières se remplissent. C'est la saison de la drave et lacs et rivières dans la région du Mont Tremblant se transforment en véritables boulevards de bois. Les draveurs roulent et courent sur les billots depuis la rivière de la Diable jusqu'à la rivière Rouge, pour se rendre finalement au moulin à papier des frères Hamilton à Hawkesbury, en Ontario.

Pendant ce temps, l'entreprise d'exploitation forestière de George Wheeler prospère à belle allure et la vie est douce jusqu'au jour où, en 1900, sa maison est la proie des flammes. Cependant, Wheeler ne se laisse pas abattre et il en construit bientôt une nouvelle sur un promontoire rocheux surnommé le Gray Rocks. Mais en 1905, c'est au tour de son entreprise de passer au feu. Cette fois, Wheeler change de cap et abandonne l'industrie du bois. Mais pas question de quitter Saint-Jovite. L'homme d'affaires qu'il est doit pressentir le déclin tout proche de l'industrie forestière et la montée du tourisme. Il faut dire qu'à cette époque, Sainte-Agathe est le rendez-vous de la haute bourgeoisie canadienne et américaine. Pourquoi ne pas tenter de les attirer au lac Ouimet ? Wheeler et sa femme Lucille décident de transformer la résidence familiale en auberge de dix chambres. Le Gray Rocks Inn est né et c'est de là que, quelques années plus tard, Joe Ryan contemplera la montagne tremblante, décidera de la gravir, puis de la développer.

George Wheeler est un homme d'affaires averti et, en peu de temps, il réussit à étendre sa réputation jusque dans le nord-est des États-Unis. L'entreprise prospère. Au début des années 1920, Tom, le fils de George, met des avions à la disposition des clients qui désirent faire des voyages de chasse et de pêche plus au nord. Il devient ainsi un des premiers pilotes de brousse au pays. À sa mort en 1926, George lègue l'entreprise à ses deux fils, Tom et Harry.

Le curé Labelle a gagné mais, surtout, il avait vu juste. En quelques années, l'industrie touristique devient la première source de revenus des Laurentides,

Une scierie à proximité
de Sainte-Agathe-des-Monts.
(Photo : Photo Côté, Sainte-Agathe-des-Monts)

C'est du Gray Rocks que Joe Ryan verra
pour la première fois le Mont Tremblant.
(Collection : Gray Rocks)

mais jusque-là, il s'agit d'un tourisme de saison chaude qui s'étale du printemps jusqu'à l'automne. Quand les Laurentides se couvrent de neige, vallées et montagnes retombent dans l'isolement. Car si les colons ont franchi la frontière du Grand Nord, le ski, lui, ne s'y est pas encore rendu. Jusqu'à un beau matin de l'année 1905, où, fait inusité pour les habitants des Laurentides, des touristes débarquent en plein hiver. Il s'agit des membres du Montreal Ski Club, fondé deux ans plus tôt, qui délaissent les pentes du mont Royal, au cœur de Montréal. Ils ont décidé de parcourir à skis les cinquante kilomètres qui séparent Sainte-Agathe de Shawbridge, chose impensable pour les habitants qui, à l'époque, ne se déplacent qu'en raquettes. C'est le début de la révolution du ski dans les Laurentides.

Sans s'en douter, ce groupe de jeunes hommes vient d'ouvrir la porte à ce qui représentera un jour la survie économique de la région. Cet événement devait marquer pour toujours la vocation des Laurentides et du Mont Tremblant, qui deviendra une des plus célèbres stations de ski d'Amérique du Nord, misant sur sa « French Provincial Atmosphere » pour assurer son caractère distinct. Et cette révolution sur planches, c'est d'abord à un Norvégien nommé Nansen que les Laurentides la doivent.

La Nansen

| | | | INCLINAISON % | | | |
NIVEAU	DÉNIVELÉ (M)	LONG. (M)	MOY.	MAX.	LARG.	SURFACE (HA)
2	625	4174	17	24	50	14,24

En 1938, lorsque Joe Ryan entreprend la construction de sa station de ski, il confie la supervision du développement des pistes et de la construction de la station à Kare Nansen, un homme qui connaît bien les centres de ski. Et pour cause: Kare est le fils du Norvégien Fridtjof Nansen, un des plus grands explorateurs polaires de tous les temps, lequel, en 1888, réussit un exploit que personne n'aurait pu imaginer à l'époque: la traversée de la calotte glaciaire du Groenland à skis. Cet exploit provoque un essor fantastique du ski, lequel gagnera l'Europe puis l'Amérique. De plus, Fridtjof Nansen est un homme d'État célèbre et un savant, récipiendaire du prix Nobel de la paix en 1922.

CONSTRUITE EN 1938 par Hermann Smith Johannsen, la Nansen est la seule piste pour débutants qui part du sommet de la montagne. Sur une longueur de 4,174 kilomètres, elle est aussi la piste la plus longue lorsqu'on la parcourt par les nombreux lacets qui la jalonnent.

Comme toutes les histoires, celle du Mont Tremblant est le résultat de plusieurs faits indissociables les uns des autres. Ainsi pour que la rencontre entre le

Du haut du Mont Tremblant.
(Collection : Tremblant)

Fridtjof Nansen (1861-1930), jeune explorateur.

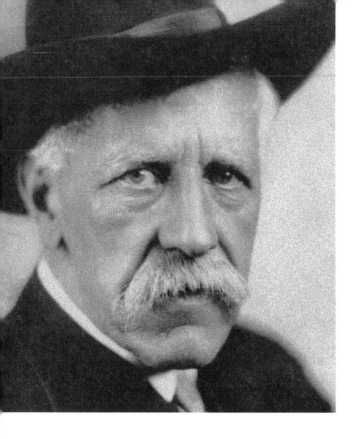

Nansen vers la fin de sa vie. Avec sa traversée du Groenland, Fridtjof Nansen donne au ski un essor considérable.

ski et le Mont Tremblant ait lieu et passe à l'histoire, il faut remonter le temps de quelques années et compter avec une autre rencontre aussi importante qu'inusitée, celle de Fridtjof Nansen avec le Groenland en 1888.

La fin du siècle dernier est une époque où le monde civilisé se passionne pour l'exploration polaire et la découverte du Grand Nord. C'est une histoire fascinante faite de courage et d'héroïsme, d'échecs et de drames où les victoires et les découvertes se font au prix de mille dangers. Depuis peu, les explorateurs ont compris qu'un esprit pratique bien adapté aux régions polaires peut venir à bout de bien des difficultés et qu'il faut cesser de vouloir affronter le Grand Nord, mais plutôt se fondre à lui, comme savent le faire les Inuits.

Fridtjof Nansen, un jeune Norvégien habité par la flamme de l'exploration, s'intéresse aux récits d'aventures dans le Grand Nord et plus particulièrement à celui de la tentative avortée de l'explorateur Nordenskjöld qui a tenté de traverser la calotte glaciaire du Groenland à skis. Après avoir franchi quelques centaines de kilomètres, l'explorateur scandinave avait dû rebrousser chemin et regagner le village inuk d'où il était parti. Ce récit plus que tous les autres enflamme l'imagination du jeune Nansen. Dorénavant, un rêve l'habite : réussir là où Nordenskjöld a échoué.

Nansen demeure persuadé qu'un groupe d'excellents skieurs équipés intelligemment et dotés d'un bon sens pratique peuvent réussir la traversée, pourvu qu'ils l'entreprennent à l'inverse de Nordenskjöld. C'est-à-dire partir du point le plus éloigné de la civilisation, sur la côte est, en direction d'un village inuk situé de l'autre côté. Ainsi, il ne se donne aucun autre choix que d'avancer, car revenir sur ses pas signifie la mort, alors que poursuivre son chemin veut dire survivre.

L'approche de Nansen est donc à l'opposé de celle de son prédécesseur qui n'avait qu'à faire demi-tour si les obstacles s'avéraient trop grands.

En 1888, en compagnie de cinq coéquipiers, Nansen prépare son expédition. L'équipe devra d'abord se frayer un chemin en bateau, au travers des glaces qui emprisonnent la côte est du Groenland. Puis, ils franchiront les monts Kiatak et ils s'élèveront sur la calotte glaciaire du Groenland, pour affronter de face les vents dominants, glaciaux et meurtriers, qui balaient l'Inlandsis. Les hommes devront trouver leur parcours à travers des zones de crevasses immenses, affronter les tempêtes de neige, survivre pendant plusieurs semaines

Cent ans après l'exploit de Nansen, les expéditions à skis, tant en Arctique qu'en Antarctique, sont encore en vogue. Île Ellesmere, haut Arctique canadien.

(Photo: Marc Blais)

À l'époque de Nansen l'équipement de ski est encore rudimentaire.

(Collection: Musée canadien du ski)

dans un désert de glace, trouver, à travers une autre chaîne de montagnes et de nouvelles zones crevassées, le chemin qui mène au village inuk de Godhan, leur point d'arrivée. L'expédition durera trois mois et demi dont six semaines sur la calotte polaire du Groenland !

Quand Nansen demande au gouvernement de l'aider à financer son expédition, on le regarde comme un fou suicidaire, un illuminé et on lui claque la porte au nez. À cette époque, on connaît très peu le Groenland et à cette ignorance se greffent des mythes et des frayeurs plus insensés les uns que les autres. Bien qu'il ne trouve aucune aide, cela ne change en rien la détermination de Nansen. Ils partent donc.

Premier exploit : ils survivent à un imprévu de taille. Ils dérivent pendant plusieurs semaines sur les glaces qui bordent la côte est du Groenland avant d'atteindre leur point de départ. Et deuxième exploit : ils réussissent la traversée !

Du jour au lendemain, Nansen devient un héros, presque une légende. Le récit de son exploit traverse les pays scandinaves pour gagner le reste de l'Europe, puis l'Amérique, où on réalise que le ski peut être un puissant véhicule d'exploration. En frappant l'imaginaire des masses, Nansen vient de provoquer l'émergence du ski, ainsi qu'un changement majeur dans l'idée que jusque-là on se fait de l'utilité de ces *patins norvégiens*.

La rencontre de Fridtjof Nansen avec le Groenland jette les bases d'une révolution importante dans l'histoire du ski et son exploit a un effet de levier considérable. Désormais, au Québec comme ailleurs, on assiste à une suite ininterrompue d'événements où des « fous-suicidaires-illuminés » rêvent à leur tour de devenir des héros, quoique sur une plus petite échelle. Ainsi, au tournant du siècle, à Montréal, trois excentriques dévalent les pentes le long de la Côte des Neiges sur des patins norvégiens et aboutissent à la ferme des Sulpiciens. Puis quatre professeurs de l'Université McGill s'élancent à toute vitesse du haut du mont Royal sur leurs skis de dix pieds de long. Les clubs de ski poussent comme des champignons et en 1900 le sport se popularise. Il n'est plus le fait de trois ou quatre illuminés, mais de dizaines de skieurs qui glissent à toute vitesse sur le mont Royal et terminent généralement leur descente en pleine rue entre l'avenue des Pins et

la rue Sherbrooke. Il faut dire, à la décharge des skieurs, qu'ils ne savent ni tourner, ni freiner avec ces longs patins qui, de surcroît, sont « faits maison ». Vers 1904, plusieurs professeurs de l'Université McGill boudent la semelle à neige (la raquette), demeurée jusque-là le sport national, et fondent le Montreal Ski Club. À peine deux jours après sa fondation, celui-ci inaugure sa première compétition de sauts à skis. Un an plus tard, les plus téméraires d'entre eux font la traversée de Sainte-Agathe à Shawbridge. Ils suivent par moments le chemin de fer ou la rivière du Nord, ou encore coupent à travers la forêt ou les champs de culture des colons. Cette expédition marque le début de longues et fréquentes randonnées à travers les prés et les vallées des Laurentides. Tant et si bien que, bientôt, Shawbridge deviendra le berceau du ski dans les Laurentides.

Pendant ce temps, aux frontières du Grand Nord, le Mont Tremblant reste encore inexploré par les skieurs à la saison froide. Mais un incendie monstre, qui, à l'été 1908, dévaste la montagne, change à tout jamais sa physionomie et sa vocation. Dorénavant, on verra une tour à feu s'élever sur le sommet de la montagne et un petit sentier marquer ses flancs. Et c'est par ce sentier, qui part du lac Tremblant, que huit ans plus tard les fils de George Wheeler, Tom et Harry, âgés respectivement de 23 et 13 ans, feront l'ascension du Mont Tremblant à skis. Cet exploit leur vaut de passer à l'histoire des Laurentides.

En attendant, la guerre de 1914 freine l'activité dans les Laurentides. Mais curieusement, dès 1919, le ski prend un essor inespéré. Peut-être répond-il à un besoin d'évasion, de liberté, de détente ? Après tout, glisser sur la neige permet d'adopter de nouveaux rythmes, de danser avec la nature, de repousser ses propres limites, de relever des défis et de gagner à tous les coups ! De plus, la conjoncture économique et sociale ainsi que la disponibilité des gens favorisent le développement du ski au point où on sent le besoin de suivre des cours. Ainsi, Émile Cochand, arrivé de Suisse depuis peu, devient le premier professeur de ski en Amérique. L'activité reprend de plus belle dans les Laurentides avec la fondation, à Ivry, du Club de Ski Mont-Royal d'Amérique, le premier club de langue française qui se donne pour mission d'implanter la pratique de ce sport chez les Canadiens français. Parmi les membres d'honneur, on compte l'honorable Alexandre Taschereau, premier ministre de la province, lequel jouera un rôle marquant dans le développement des compétitions au Mont Tremblant.

(Collection : Gray Rocks)

Trois femmes à skis sur le mont Royal
au début du siècle.

(Collection : Musée canadien du ski)

Huit ans plus tard, le territoire « skiable » prend des proportions insoupçonnées et atteint environ 1 500 kilomètres carrés. Dire qu'il n'y a pas si longtemps personne n'imaginait même seulement fréquenter les Laurentides en hiver ! Et voilà qu'aujourd'hui, on y fait de la luge, des randonnées en traîneaux, de la raquette ou du patin sur le lac des Sables à Sainte-Agathe qui, en plus d'être le lieu de villégiature à la mode fréquenté par la bourgeoisie, est devenue, en 1928, le rendez-vous des sports d'hiver des villes canadiennes et américaines. Il faut dire qu'à Sainte-Agathe, tous les moyens sont bons pour attirer et amuser les touristes. Moïse Paquette invente l'aéroski : il tronque les ailes de son avion et tire à 120 kilomètres heure des skieurs, ravis ou terrifiés, selon le cas. En quelques années, le ski dans les Laurentides a atteint une telle popularité que le Canadien National puis le Canadien Pacifique organisent des trains de neige pour les Montréalais désireux de « monter dans le Nord ». Le succès est instantané. Entre le 23 décembre 1927 et le 25 avril 1928, 11 000 skieurs empruntent les trains de neige. Dix ans plus tard, ce nombre augmente à 145 000 skieurs qui voyagent à bord de 300 trains spéciaux. Jusqu'au lendemain de la Deuxième Guerre mondiale, le train restera le principal moyen de transport des skieurs.

Mais pendant ce temps, le Mont Tremblant est encore boudé par les skieurs et les visiteurs en hiver. Néanmoins, en cette année 1928, le géant est sur le point de se réveiller. Cette même année est, du reste, une plaque tournante dans l'histoire du ski dans les Laurentides, car ce que le ski gagne en territoire d'année en année, il le gagne également en raffinement. Les écoles de ski ouvrent un peu partout avec à leur tête des skieurs aussi chevronnés que l'Allemand Bill Pauly, directeur de l'école de ski du Gray Rocks. On commence aussi à fabriquer des skis de calibre professionnel au Québec et la compétition voit le jour avec la fondation du Red Birds Ski Club, un regroupement de diplômés de l'Université McGill, lequel jouera un rôle de premier plan dans l'histoire des compétitions au pays. D'ailleurs, la même année, deux d'entre eux, Harry Pangman (qui donnera son nom à l'un des sommets du massif du Mont Tremblant) et Bill Thompson, participent aux deuxièmes Jeux olympiques d'hiver à Saint-Moritz, en Suisse.

Enfin, en 1930, les remous qu'ont entraîné l'exploit de Nansen touchent les flancs de la Montagne tremblante, par l'entremise de Herman Smith Johannsen, un géant dans l'histoire du ski au Canada (voir chap. 5). En effet, Johannsen

Entre le 23 décembre 1927 et le 25 avril 1928, 11 000 skieurs empruntent les trains de neige des Laurentides.

(Collection : Musée canadien du ski)

et ses compagnons du Red Birds Ski Club gagnent le sommet de la plus haute montagne des Laurentides méridionales malgré les forêts denses et le parcours accidenté. Le coup de foudre est immédiat et cette journée est déterminante dans l'histoire du Mont Tremblant. À peine un an plus tard, Johannsen revient au Mont Tremblant fermement décidé d'y tenir la première coupe Kandahar/Québec, le pendant d'une compétition qui a lieu chaque année en Suisse depuis 1911.

En 1931, d'une curieuse rencontre, celle de la roue et du ski, naît la première remontée mécanique conçue spécialement à l'intention des skieurs en Amérique et probablement au monde. Dorénavant, le ski connaîtra une popularité qui n'a jamais faibli depuis.

C'est sur la Big Hill à Shawbridge, berceau du ski dans les Laurentides, qu'Alex Foster, un jeune champion sauteur de Montréal, installe une folle invention. Foster hisse son automobile sur des blocs et il enlève un pneu arrière. À l'aide d'un câble, il relie la jante à une poulie placée en haut de la côte. Quand le moteur de la voiture tourne, le câble est mis en mouvement et, en s'y accrochant très solidement, on peut monter en haut de la montagne. Du moins, l'espère-t-il. Car on s'arrache les mains, on culbute, on se retrouve à califourchon sur le câble ou à se faire traîner sur le ventre par le câble qui nous file entre les doigts et défile la laine des mitaines. Mais on tient bon, comme par miracle, on réalise que cela fonctionne. Pour emprunter cette première remontée mécanique, il ne faut surtout pas avoir peur du ridicule et tous ceux qui se respectent refusent d'être vus agrippés à une pareille machine. Et puis, la mentalité de l'époque prône que l'on trouve autant de plaisir à monter les montagnes à skis qu'à les descendre. De plus, payer pour skier est impensable !

Quoi qu'il en soit, on s'accorde à dire que l'invention de Foster est ingénieuse. Par contre, l'histoire a ses mystères et l'un d'entre eux veut que le brevet de l'invention de la remontée mécanique soit au nom de Moïse Paquette, ce pilote qui avait tronqué les ailes de son avion pour tirer les skieurs sur le lac des Sables à Sainte-Agathe. Toujours est-il que l'histoire accorde à Foster l'invention de la première remontée mécanique pour skieurs. Le public baptise cette remontée « la patente à Foster » (traduit en anglais par « Foster's Folly ») et avec le temps, certains skieurs accepteront de payer vingt-cinq cents pour remonter la Big Hill, aggripés au câble. Jusqu'au jour où même les plus snobs

Moïse Paquette invente l'aéroski en 1926:
il tronque les ailes de son avion et tire à
120 kilomètres heure des skieurs,
ravis ou terrifiés.

(Collection: famille Paquette, Sainte-Agathe)

s'y plieront, car la « patente à Foster » gagne du terrain. Et c'est ainsi qu'en 1934, Fred Pabst, le fils d'un célèbre brasseur de bière de Milwaukee aux États-Unis, installe le premier remonte-pente permanent à la Big Hill de Saint-Sauveur, celle-là même qui deviendra la Côte 70, une des plus fameuses pentes de ski de l'est de l'Amérique. Désormais, l'industrie du ski est née. Cette même année, les premiers remonte-pentes font leur apparition aux États-Unis, plus précisément à Woodstock au Vermont. Le ski alpin entrera bientôt dans son ère moderne, ce qui se traduit bien vite par l'apparition des marchands de neige, la création de centres de ski, la mode et les vacances d'hiver. C'est la ruée vers l'or blanc !

En soixante-quinze ans, les colons ont défriché, construit et établi des liens de communication entre les villages du Nord et la métropole. Ils ont érigé des centrales hydro-électriques et ouvert des chemins. Depuis que la route 11 se rend jusqu'au Mont Tremblant, même l'hiver, on franchit en automobile la frontière du Grand Nord.

La révolution du ski a débuté avec l'expédition de Nansen dans le Grand Nord. Puis, d'une borne à l'autre, le ski a conquis l'Europe et l'Amérique. Un long détour pour finalement revenir au Grand Nord grâce, en grande partie, à Herman Smith Johannsen à qui l'on doit d'avoir contribué à propager la passion du ski et qui a tracé dans la neige le chemin qui mène au Mont Tremblant.

Un conducteur passe la journée à actionner le bras de vitesse d'une voiture immobilisée pour permettre aux skieurs de remonter la Big Hill de Shawbridge en s'accrochant au câble.
(Collection: Gray Rocks)

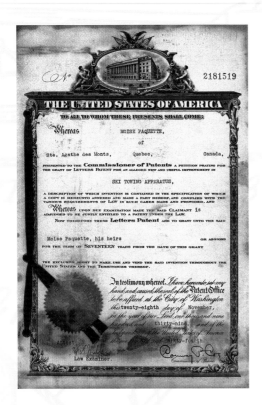

Au nom de Moïse Paquette: brevet américain de l'invention de la remontée mécanique.

(Collection: famille Paquette, Sainte-Agathe)

MOÏSE PAQUETTE

Quoique les dates diffèrent sensiblement quant à la mise en œuvre de la première remontée mécanique fabriquée spécialement à l'intention des skieurs, l'histoire accorde à Alex Foster la paternité de cette invention. De 1929 pour les uns, ces dates s'étirent jusqu'à 1933 pour les autres mais, généralement, on s'accorde à dire que les opérations ont débuté à temps pour l'hiver de 1931-1932.

Et voilà qu'en cours de recherche pour la rédaction de ce livre apparaît un dénommé Moïse Paquette, lequel, selon plusieurs témoignages, serait le véritable inventeur de la première remontée mécanique. Mais si on peut difficilement contredire l'histoire, il est tout de même permis de la questionner, car, après tout, l'invention de la première remontée mécanique pour les skieurs a changé le cours de l'histoire du ski.

Propriétaire d'un garage, Moïse Paquette est un inventeur, ou un patenteux, selon l'expression québécoise, qui, seul dans son coin, à l'instar d'un certain Armand Bombardier, fabrique un «snowmobile» pour être en mesure de répondre aux appels des camionneurs et automobilistes quand, les soirs de tempête, les routes deviennent impraticables.

Puis, fou de vitesse, Moïse Paquette crée l'aéroski au milieu des années 1920. Il tronque les ailes d'un avion et tire les skieurs à haute vitesse, sur le lac des Sables à Sainte-Agathe. Stanley Ferguson, gérant de la station de ski Mont Tremblant Lodge, se rappelle avoir payé vingt-cinq cents pour se faire remorquer à 120 kilomètres à l'heure derrière l'avion. Plâtré de neige, grisé par la vitesse, l'expérience était inoubliable. À la fin des années 1920, Paquette installe un «rope tow» sur la côte Baumgarten à Sainte-Agathe. Moïse, qui collectionne les vieilles automobiles, enroule une corde autour de l'une des deux jantes arrière d'une auto qu'il a montée sur des blocs et passe l'autre bout de la corde autour d'une poulie qu'il a installée au sommet de la montagne. Les skieurs, accrochés à la corde, s'évitent désormais une pénible ascension. C'est Maurice, le fils de Moïse, qui, les fins de semaine et les congés d'hiver, s'installe aux commandes de l'auto et actionne les vitesses et l'accélérateur. Là où les dates se recoupent, c'est quand

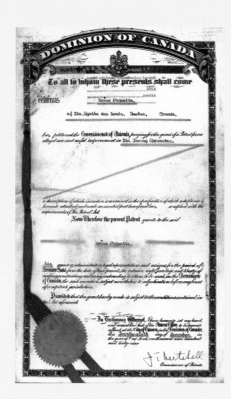

Brevet canadien pour la remontée
mécanique au nom de Moïse Paquette
(Collection : famille Paquette, Sainte-Agathe).

Maurice, qui vient au monde sourd et muet, est envoyé à l'école à Montréal en 1920 et termine ses études en 1931, soit une saison avant la date homologuée pour l'installation de la remontée d'Alex Foster sur la Big Hill à Shawbridge.

Mais qui était donc Alex Foster ? Un champion sauteur à ski et un passionné de vitesse qui, selon plusieurs, aurait bien pu être en contact avec Moïse Paquette et son aéroski. Alex Foster n'est pas un patenteux et le « rope tow » qu'il installe à Shawbridge en 1932 semble si mal installé que les skieurs doivent plonger leurs mitaines dans de l'arcanson, une sorte de résine, qui leur permettra de rester collés à la corde, car pendant la remontée les clients se retrouvent tous suspendus dans les airs, comme pendus à une corde à linge. De plus, les câbles s'entortillent autour des vêtements et causent plusieurs accidents graves.

Si Foster installe une deuxième remontée sur une montagne de Sainte-Agathe qu'il appellera le mont Foster, Moïse installe sa deuxième remontée au Little Alp près du Laurentide Inn de Sainte-Agathe, de même qu'une troisième au club de golf de Sainte-Agathe. C'est vers Moïse Paquette que Fred Pabst se tourne pour installer sa remontée sur la Côte 70 à Saint-Sauveur en 1934. C'est d'ailleurs à Moïse qu'on fait appel pour installer des remontées dans chaque village des Laurentides, en Estrie, à Montréal, dans la région d'Ottawa et de Québec, et même jusqu'à Toronto.

Moïse est tellement fier de son invention qu'il dépense beaucoup d'argent pour la faire breveter et, qui sait, peut-être aussi pour s'assurer que personne ne revendiquera à sa place la paternité de l'invention du « rope tow ». Malheureusement pour lui, l'histoire ne retiendra que celui qui l'aura commercialisé à Shawbridge en 1932.

Il n'y a aucune raison de croire en la malhonnêteté des uns ni de mettre en doute la parole des autres. L'histoire joue parfois bien des tours et sans doute qu'un peu de vérité se cache quelque part dans chacun de ces récits.

La Johannsen

| NIVEAU | DÉNIVELÉ (M) | LONG. (M) | INCLINAISON % | | LARG. | SURFACE (HA) |
			MOY.	MAX.		
4	60	450	25	36	50	2,2

Herman Smith Johannsen, dit Jackrabbit, né en 1875 et décédé en 1987, est un des grands pionniers du ski au Canada et dans les Laurentides. Intrawest donne le nom de Johannsen à cette piste en 1995. La Johannsen prend naissance là où huit pistes se rencontrent au bas de la Flying Mile. De midi jusqu'à la fin de la journée, cette piste est innondée de soleil. La piste située à proximité de la place St-Bernard, mesure à peine 450 mètres de longueur et aboutit précisément au complexe Saint-Bernard. D'ailleurs, cette piste offre un superbe point de vue sur les activités qui se tiennent sur cette place. Comme elle est le point de rendez-vous de plusieurs pistes, donc toujours très achalandée, elle se couvre de bosses à la fin de la journée.

Jackrabbit Johannsen âgé de 99 ans.

(Collection : Peggy Austin)

Le Mont-Tremblant.

(Collection : Tremblant)

Une des premières ascensions
de Jackrabbit au Mont Tremblant.
(Collection : Danielle Chrétien)

Depuis la rive ouest du lac Tremblant, tout près du petit pont qui enjambe la décharge du lac, à quelques kilomètres de la station, la vue sur le massif de Tremblant est imprenable. Cette masse imposante qui s'étend du nord au sud sur quatorze kilomètres compte plusieurs sommets. En balayant du regard le paysage de la droite vers la gauche, on aperçoit d'abord le pic White, mieux connu sous le nom de Mont Tremblant, puis les pics Gillespie et Pangman et, enfin, le plus élevé de tous : le pic Johannsen. Ce dernier porte le nom d'un personnage qui fait stature de géant dans l'histoire du ski dans les Laurentides.

Par son travail souvent bénévole et ses engagements, il a contribué à populariser la pratique du ski dans les Laurentides et a ainsi doté la région d'un réseau de pistes de randonnée qui n'avait son pareil nulle part ailleurs sur le continent. Plus que tout autre, Johannsen a contribué, grâce au ski, à transformer la totalité du paysage laurentien du nord de Montréal jusqu'au Mont Tremblant. En outre, c'est lui qui, le premier, a reconnu le potentiel exceptionnel du Mont Tremblant et y a organisé les premières compétitions. Johannsen était un écologiste et un sportif passionné qui a fait du plein air et de l'exercice

Jackrabbit (le dernier à droite) en compagnie d'un groupe de skieurs du Club Laurentien devant la cabane de Tom Wheeler en mars 1935. De gauche à droite: Donnie Cleghorn, Gordon Hanson, «Mac» Yuile, «Hugie» Hugessen, Kay Terroux, Forbes Hale, Ferdie Terroux, August Burmeister, Vero Wynne-Edwards, Arthur Terroux, Willie Legaré et Lindsay Hall.

(Photo: Chambre de commerce de Mont-Tremblant)

un mode de vie. Le personnage qui a légué son nom au sommet le plus élevé des Laurentides méridionales se nomme Herman Smith Johannsen, surnommé «Jackrabbit». Déjà, de son vivant, on le considérait comme une légende.

Johannsen est né en Norvège en 1875. Vers l'âge de quinze ans, il devient un des meilleurs skieurs de son pays, toutes spécialités confondues. À cette époque, un bon skieur performe autant dans le saut, le ski de fond, que dans les montées et les descentes, et cela, quels que soient les obstacles rencontrés sur le terrain. Il a appris du grand Nansen lui-même comment skier sur la glace de mer dont la texture est caoutchouteuse et élastique. Il a aussi skié avec Roald Amundsen, le vainqueur du pôle Sud. De plus, Johannsen a contribué à populariser le ski en Allemagne, en Autriche et en Suisse.

À l'âge de 55 ans, Jackrabbit effectue un changement majeur dans sa vie : il devient ingénieur du ski.

(Photo: Danielle Chrétien)

À l'âge de 24 ans, Johannsen arrive en Amérique avec, dans ses bagages, un diplôme en génie mécanique et ses skis. Rapidement, il est employé par une entreprise qui vend de la machinerie lourde pour la coupe de bois, les travaux publics et la construction des chemins de fer. Son travail demande qu'il visite régulièrement les chantiers de coupe de bois du nord du Québec et de l'Ontario, ce qui lui donne l'occasion de côtoyer les Indiens Cris et Ojibways avec qui il se lie d'amitié. À plusieurs reprises, Johannsen vit avec eux et parcourt les forêts en leur compagnie. Et c'est ainsi que certains Indiens adopteront les skis, les trouvant plus rapides que leurs raquettes ancestrales.

Plusieurs pensent que ce sont les Indiens qui, étonnés de son agilité à se déplacer sur la neige, ont donné à Johannsen le surnom de Jackrabbit (lièvre). Cetains disent qu'on l'appelait même chef Jackrabbit ! Mais en vérité, ce sont ses amis du Montreal Ski Club qui l'ont affublé de ce nom à cause de sa facilité à se faufiler dans les buissons lors d'un jeu à skis dans la forêt appelé « Hare and Hound Bushwack ski Chases » où Herman s'amusait à jouer au lièvre.

Puis un jour, curieusement, son travail l'amène à vivre dans les Antilles pendant plusieurs années. Lui, un nordique, ne peut supporter l'idée de finir ses jours dans les pays chauds. La neige et le ski lui manquent et il veut gagner sa vie là où on peut faire du ski. En 1915, il reprend la route vers les régions froides et élit domicile à Lake Placid dans les Adirondacks aux États-Unis. Puis, quatre ans plus tard, l'ouverture d'un bureau de vente de machinerie lourde à Montréal marque le début d'une longue histoire d'amour entre Jackrabbit et les Laurentides. En 1928, il fait venir sa famille à Montréal.

Tout au long des années 1920 et 1930, il explore à skis de nouveaux territoires en compagnie de son chien Ken. Il ouvre des pistes pour les skieurs dans les environs de Saint-Sauveur, Sainte-Marguerite, Sainte-Agathe et Shawbridge. Au milieu des années 1930, il trace la piste Maple Leaf, longue de cent vingt-huit kilomètres, qui relie Labelle à Shawbridge en passant par le Mont Tremblant, où plusieurs pistes mènent aux sommets Johannsen et Gillespie.

Johannsen a cinquante ans et malgré son demi-siècle, il continue de se classer parmi les premiers aux compétitions importantes. Seuls les skieurs de grand calibre arrivent à le surclasser. Mais si le ski se porte bien, le travail lui devient de plus en plus difficile et les fins de mois sont pénibles. Il voit son entreprise décliner jusqu'au moment où, en 1930, la crise le plonge dans la noirceur. Un

Monter à skis, le Mont Tremblant pouvait prendre jusqu'à deux heures.
(Collection : Gray Rocks)

soir, en entrant à la maison, il découvre sa femme et ses enfants en larmes, effondrés sur le divan. Le gaz et l'électricité ont été coupés. Herman avoue qu'il anticipait cela depuis un bon moment. Il a espéré que les choses s'arrangeraient mais il doit se rendre à l'évidence : la machinerie lourde ne se vend plus en ces temps de crise économique. Johannsen n'a d'autre choix que de se rabattre sur ce qu'il connaît le mieux, le ski. Il décide donc que dorénavant, il vendra ses services. Pour ce qui est du reste, il trouvera un loyer moins cher et toute la famille devra faire un effort pour s'adapter à cette nouvelle vie. Sa fille Alice, dans la biographie qu'elle a écrite sur son père, cite : « Nous n'avons qu'à penser que nous sommes en canot. Ce soir nous prendrons un souper froid comme on le fait au campement. Ensuite, nous irons au lit et nous dirons nos prières comme d'habitude. Demain matin le soleil se lèvera comme d'habitude. » Johansenn connaît bien la nature et ses cycles de transformation et, de toute évidence, c'est en elle qu'il puise une confiance inébranlable en la vie : « Il y a le beau temps et il y a le mauvais temps, et pour ceux qui attendent suffisamment longtemps, le soleil finit toujours par émerger des nuages. »

Ainsi, à 55 ans, Jackrabbit effectue un changement radical. Désormais, de vendeur de machinerie lourde il devient ingénieur du ski. Il construira des tremplins de sauts, organisera une multitude de courses de slalom et de descentes. Il deviendra aussi le père de la course Kandahar/Québec. De plus, Joe B. Ryan l'engagera comme expert-conseil dans l'aménagement des pistes au Mont Tremblant.

Toute sa vie, il continue de participer à des compétitions de ski avec des résultats surprenants étant donné son grand âge. Un jour, alors qu'il est âgé de 95 ans, il accepte de se joindre à un groupe qui part fouler l'Inlandsis, la calotte glaciaire sur laquelle le grand Nansen a réalisé la première traversée du Groenland en 1888. À la descente, au passage d'un petit ruisseau, il perd pied et tombe à l'eau. Jackrabbit risque l'hypothermie. Debout sur la rive, il arrive à peine à prononcer quelques mots à sa fille Alice : « Ç-ç-ça c'est d-d-de l'eau f-f-froide ! Elle v-v-v-vient à p-p-p-peine de f-f-fondre après avoir é-é-é-été de la g-g-glace pen-pen-dant des m-m-m-milliers d-d-d'années. J-j-j'prendrais bien u-u-une p-p-p'tite gorgée de w-w-whisky. » Sur ce, il repart en joggant avec Alice, atteint le petit bateau après plusieurs kilomètres de course, puis on lui fait traverser le fjord à la rame entre les icebergs ; de là il reprend son jogging et atteint enfin l'auberge où les gens, en apprenant sa mésaventure, n'en croient pas leurs yeux de le voir encore vivant. Après une petite rasade de whisky, une douche d'eau bouillante, des vêtements secs et une bonne sieste, Jackrabbit émerge de cette expérience frais comme une rose.

Il s'éteint à l'âge de 111 ans en 1987. Il laisse au Québec sa passion du ski, laquelle a transformé la vie de milliers de personnes. De plus, avec la coupe Kandahar, il ouvre toute grande la porte du Mont Tremblant au monde entier.

En mars 1975, des centaines d'admirateurs se sont rassemblés pour fêter les 100 ans de Jackrabbit à la gare de Val-David dans les Laurentides.
(Collection : Peggy Austin)

La Kandahar

| NIVEAU | DÉNIVELÉ (M) | LONG. (M) | INCLINAISON % | | LARG. | SURFACE (HA) |
			MOY.	MAX.		
6	260	1014	27	48	53	5,36

La Kandahar est la toute première piste à avoir été aménagée au Mont Tremblant, en 1933. Les concurrents qui prenaient part à la course Kandahar participaient au cours de l'automne au traçage et au débroussaillage de la piste, malgré le fait qu'au tout début la compétition avait lieu dans la forêt. Au fil des ans, on l'a fréquemment transformée et relocalisée.

L'installation du Tremblant Express a de nouveau modifié le tracé de la piste Kandahar qui longe la partie supérieure de la nouvelle télécabine. Le nom de cette piste provient d'un militaire, héros de la bataille de Kandahar (1879-1981) en Afghanistan, anobli par la reine Victoria. Il deviendra Lord Roberts of Kandahar et donnera son nom à la coupe et à la course organisée par Arnold Lünn, inventeur de la course de descente et père de la première course de slalom au monde qui s'est tenue à Mürren, en Suisse.

La piste Kandahar, telle qu'elle apparaît aux compétiteurs après les premiers détours.
(Collection: Tremblant)

George Jost gagnant de la première course Kandahar en 1932.
(Collection: Musée canadien du ski)

Criss Schaurzenbach, gagnant de la
Québec-Kandahar en 1940.
(Collection: Tremblant)

L<small>A COURSE KANDAHAR</small> marque le début des grandes compétitions à ski au Mont Tremblant et, curieusement, avant même que l'on ait tracé une piste sur la montagne. C'est dire que les coureurs n'avaient peur de rien et qu'ils ne reculaient devant aucun obstacle pour participer à une course et obtenir une victoire! La course Kandahar faisait appel à l'audace et à la témérité autant qu'au talent du skieur.

Cette course nous vient d'une joyeuse bande de Britanniques, qui se nommaient eux-mêmes le «Downhill Only Club», installés à Mürren, en Suisse: des officiers ou fonctionnaires en congé, riches et oisifs, qui, histoire de se désennuyer, se jettent à corps perdu dans le ski et le poussent jusque dans ses retranchements au point de devenir de véritables casse-cou. Rien ne semble être à leur épreuve: ils se lancent au bas d'immenses champs de neige au pied des Alpes, ils prennent un plaisir fou à battre leurs records de vitesse et à accomplir des exploits toujours de plus en plus périlleux. Ils s'amusent à contourner à toute vitesse les arbres, les rochers et les granges qui se dressent sur leur route. Et lorsqu'ils manquent d'obstacles naturels, ils en créent avec des branches qu'ils piquent dans la neige et qu'ils se font un devoir d'éviter, toujours à fond de train. Cette descente toute en courbes prendra un jour le nom de slalom («virage» en norvégien).

Un de ces joyeux lurons, Arnold Lünn, décide un jour d'organiser une course amicale et d'offrir un trophée au gagnant. La compétition se tient le 11 janvier 1911, à Montana-sur-Sierre dans les Alpes suisses. Il s'agit d'une course à obstacles dont la règle est simple: le vainqueur sera celui qui réussira à éviter toute collision avec ses concurrents. Parmi les invités venus assister à la course, on retrouve Lord Roberts of Kandahar, lequel doit son titre à un geste guerrier héroïque. En 1879, il a permis la levée du siège de la ville de Kandahar en Afghanistan, qui était alors située aux limites de l'empire britannique. Voilà comment une course qui se tient en Suisse porte le nom d'une ville d'Afghanistan, car c'est bien sûr en l'honneur de son ami que Arnold Lünn donne à la course le nom de The Roberts of Kandahar Challenge Cup Race.

Mais il faudra encore treize années avant que soit fondé le Kandahar Ski Club et que soit tenue la première compétition internationale Kandahar. En cette année 1924, le combiné slalom et descente se fait à Grindelwald et à Mürren, toujours en Suisse. Cette fois, le gagnant est celui qui obtient le meilleur résultat de la course combinée.

Cinq ans plus tard, en 1929, l'idée de la Kandahar-Québec émerge grâce au capitaine Albert H. d'Egville, un des fondateurs du Kandahar Ski Club de Mürren. Immigré au Canada, celui-ci devient le secrétaire du Club Seigneurie, une destination de prestige que la compagnie de chemin de fer Canadien Pacifique est à faire construire à Montebello. D'Egville y fait la connaissance d'Herman « Jackrabbit » Johannsen, à qui l'on a confié la construction d'un tremplin de saut et d'une piste d'entraînement olympique à titre « d'ingénieur de ski ». D'Egville obtient du Kandahar Ski Club of Great Britain l'autorisation d'offrir une coupe pour une compétition au Canada, mais à la condition expresse que l'on arrive à dénicher une montagne qui a l'envergure suffisante.

Jackrabbit est littéralement fasciné par la témérité que demande cette course et il décide sans l'ombre d'une hésitation de donner suite à cette offre. Il n'a pas à chercher très longtemps la montagne digne de recevoir la course Kandahar-Québec. Lui qui explore la région de la Diable depuis 1925 connaît bien le Mont Tremblant.

Jackrabbit, accompagné de trois membres du Red Birds Ski Club, se rend au village de Lac-Mercier. Ils passent la nuit au Gray Rocks et, dès le lever du jour, ils chaussent leurs skis et se rendent au pied de la montagne pour ensuite l'escalader par le chemin de la tour à feu. Deux heures plus tard, ils atteignent le sommet. Avant de descendre, ils prennent le temps de contempler ce paysage unique et féerique, composé de montagnes rondes à perte de vue. Puis ils explorent les sommets et cassent la croûte. Le moment venu de descendre, une tempête de neige les oblige à passer la nuit dans la cabane du gardien de la tour à feu, construite à mi-pente.

Le lendemain matin, bien que la tempête n'ait pas fléchi, ils remontent au sommet et entreprennent une descente frénétique à travers les arbres. Une descente qui n'a aucune commune mesure avec ce que nous connaissons aujourd'hui. À 55 ans, Johannsen, couvert de neige et de glace, ouvre la piste. Le maître déploie tout son art de skieur des bois émérite devant ses compagnons du Red Birds, béats d'admiration : chevauchements de cannes de ski, attrapées d'épinettes, glissades de branche en branche, déboulées de falaises et, même, virages en laissant traîner la jambe arrière, technique qu'il avait apprise au contact des skieurs de la ville de Telemark en Norvège, et qu'il est le seul du groupe à maîtriser. Le 13 avril 1930, Jackrabbit réalise la première descente à ski au Mont

Herman Smith Johannsen au sommet
du Mont Tremblant.

(Collection : Chambre de commerce de Mont-Tremblant)

Tremblant, en compagnie de Pangman, Stewart et Maxwell ainsi que de son chien Cæsar. Pangman écrira plus tard : «Je crois que c'est au cours de cette descente que j'ai enregistré mes premières impressions de l'habileté exceptionnelle d'Herman.»

Sur le lac, admirant les 650 mètres de dénivelé qu'ils viennent de débouler depuis le sommet de la montagne, les quatre compagnons sont unanimes : aucun doute possible, c'est ici que doit se tenir la course Kandahar-Québec. Jackrabbit ramène au Manoir Pinoteau son équipe épuisée et à demi gelée. Sur le registre du club, on peut encore lire : « La descente s'est faite à travers bois et nous avons surpris un groupe de cerfs sur les pentes. »

Dès lors, ils entreprennent de convaincre les organisateurs, responsables de la Kandahar-Québec, de tenir la course à Tremblant, non pas sur des pistes de ski comme on pourrait s'y attendre, mais hors des sentiers battus, à travers les arbres et la forêt. Jamais personne n'a entendu parler d'une idée aussi absurde et les autorités de la Canadian Amateur Ski Association ainsi que du Montreal Ski Club manifestent avec empressement leur opposition au projet. Mais finalement, sous les assauts répétés de Jackrabbit, même les plus rébarbatifs capitulent. Et c'est ainsi qu'en 1931, on décide d'expérimenter l'idée en simulant une course, tâche que l'on confie au Red Birds.

Le 4 avril 1931, Jackrabbit et cinq compétiteurs se donnent rendez-vous au sommet de la montagne. Puisque la descente est éreintante, les skieurs acceptent d'un commun accord de faire une halte de 15 minutes à la mi-descente, histoire de reprendre leur souffle. Le gagnant de la course folle enregistre un temps de 25 minutes. Dès lors, il est entendu que la prestigieuse compétition aura lieu. Le Red Birds Ski Club est nommé hôte officiel de la compétition, ce qui signifie qu'il a toute autorité pour organiser et superviser la première coupe Kandahar-Québec.

Le 12 mars 1932, les officiels de la course Kandahar-Québec et les concurrents, dont certains viennent d'aussi loin que Toronto, partent du Manoir Pinoteau et se rendent à ski jusqu'au pied du Mont Tremblant où, devant un groupe de spectateurs et de curieux réunis pour l'occasion, les skieurs font l'ascension de la montagne.

**LA FICHE TECHNIQUE EST RÉVÉLATRICE
DES CONDITIONS DE LA COMPÉTITION**

TROPHÉE : COUPE KANDAHAR-QUÉBEC

LIEU : MONT TREMBLANT

LONGUEUR DE LA PISTE : ENVIRON 5000 MÈTRES

DÉNIVELÉ : 650 MÈTRES

ANGULATION DE LA PISTE : DE 0 À 32 DEGRÉS

DÉNIVELÉ PAR KILOMÈTRE : 130 MÈTRES

DISCIPLINE : DESCENTE

LARGEUR DE LA PISTE : N/D

EXPOSITION DU PARCOURS : OUEST

TYPE DE TERRAIN : FORÊT

(Collection : Tremblant)

Il revient à Jackrabbit de mener jusqu'au sommet de la montagne les vingt-deux compétiteurs. Le calcul des temps se fait comme suit : Jackrabbit part le premier avec vingt minutes d'avance pour qu'il ait, en toute quiétude, le temps de prendre sa place sur la ligne d'arrivée. Il a synchronisé son chronomètre avec celui de Bill Drysdale qui est à la fois responsable des départs et dernier à partir du sommet. Tous sont en place sur la ligne de départ. Puis, au signal de Bill, les skieurs partent à une minute d'intervalle. Et quel départ! La pente, qui compose la partie supérieure de la piste depuis la tour à feu jusqu'à la cabane du garde forestier, est couverte d'épinettes, de rochers et de plaques de glace, sans compter qu'elle a un angle de 30 degrés. C'est à travers cette jungle glacée que les concurrents doivent se frayer un chemin pour atteindre la seconde partie du parcours qui, au bonheur de tous, est plus facile. De plus, la plupart des compétiteurs peuvent enfin suivre à peu près la même piste. Selon Johannsen, cette descente représente un exemple magnifique de ski à la canadienne (« a splendid test in typical Canadian country »). Mais Peter Gillespie, qui remporte la seconde place lors de cette première Kandahar, voit les choses d'un autre œil et son récit publié dans le *Canadian Yearbook* de 1932 est demeuré célèbre. Il écrit ceci :

[…] Dans le train qui nous menait au lac Mercier, la tension augmentait à chaque petite gare que nous passions. En effet, la foule de skieurs qui encombrait les wagons diminuait à chaque arrêt. Au-delà de Sainte-Agathe, il ne restait plus dans le train que les compétiteurs de la Kandahar, soit une vingtaine d'entre nous […]

Le pays devenait plus sauvage et plus aride et mon moral faisait de même […] Ce soir-là, au Manoir Pinoteau, les places de départ étaient tirées au sort, et puisque la journée allait débuter de bonne heure le lendemain, nous sommes allés nous coucher tôt.

[…] Le Mont Tremblant s'élevait en des pentes abruptes depuis les rives du lac Tremblant jusqu'à 2200 pieds [650 mètres] au-dessus de nos têtes et le parcours s'étirait sur une distance d'environ 3 milles [5 kilomètres].

Une fois le point d'arrivée bien localisé sur le lac au pied de la montagne, nous commençons une ascension qui dure deux heures. Au fil de la montée, la neige devient plus profonde et la progression plus pénible. Deux compétiteurs avaient mis des peaux de phoque sous leurs skis et semblaient les trouver fort pratiques puisqu'ils montaient avec beaucoup plus de facilité que nous qui y avions attaché des mouchoirs ou des bouts de ficelles, ce qui ne contribuait en rien à faciliter notre ascension. Malgré la température très froide, nous arrivons au sommet couverts de sueur. Je ne crois pas m'être jamais rafraîchi aussi vite. Un vent qui semblait venir de l'Arctique soufflait dans la petite clairière sous la tour à feu où nous attendions notre tour pour prendre le départ. Ce vent achevait de tempérer les ardeurs et de congeler ceux qui étaient en nage.

Bill Drysdale, le dernier compétiteur de la liste qui avait été choisi pour donner les départs, bleuissait à vue d'œil. Nous avions laissé à Jackrabbit vingt minutes d'avance pour qu'il puisse prendre sa place sur la ligne d'arrivée avec son chronomètre. Puis, un par un, à intervalles d'une minute, les compétiteurs disparaissaient dans la forêt épaisse au-delà de la clairière, comme happés dans le puits d'ascenseur d'un élévateur à grains. Puis, de temps à autre, s'élevaient jusqu'à nous des sons de collisions bizarres suivis de jurons qui résonnaient dans le lointain.

Jusqu'au milieu des années 1930, que l'on pratique le ski de descente, de randonnée, de compétition ou le saut, on dit: «je fais du ski» et une seule paire de skis sert à toutes ces disciplines.

(Photo: Photo Côté, Sainte-Agathe-des-Monts)

Je devenais de plus en plus transi et de plus en plus mécontent. Mais, enfin, mon tour est arrivé. Nous étions le treizième jour du mois et j'étais le treizième à prendre le départ. J'allais être ou très malchanceux ou très chanceux. De toutes façons, cela mettait du piquant. Au moment de partir, j'entends John Blair jouer sur son harmonica : *It's a Long Long Way to Tipperrary*. Lors de sa descente, d'ailleurs, il a laissé tomber son harmonica à deux reprises et à chaque fois il s'est arrêté pour le retrouver. Pour ma part, j'ai perdu un gant, mais j'ai préféré continuer. À la ligne d'arrivée, j'avais les jointures à vif et une main partiellement gelée.

La première moitié du parcours a été moins dure que je ne l'avais imaginé. La neige était profonde et j'ai réussi à prendre de l'avance en exécutant une série de petites glissades suivies de longs déboulés. À mi-chemin de la partie supérieure de la montagne, j'ai dépassé quelqu'un qui pendait lamentablement d'un arbre, la tête en bas. La lutte étant inégale, il semblait avoir abandonné tout espoir de s'en sortir et reposait en silence.

J'ai cru à ce moment que j'étais perdu, je ne retrouvais pas la piste, mais soudain, j'ai piqué du nez dans une neige très dure et j'ai ainsi réalisé que je l'avais retrouvée. Cette section de la piste me semblait facile au moment de l'ascension mais elle s'est avérée être plus difficile au moment de la descente. À cet endroit, la neige était très rapide et les bosses sur la piste me donnaient l'impression de faire du rodéo. Après une centaine de mètres, mes forces ont commencé à m'abandonner et à partir de ce moment, mes jambes cédaient régulièrement sous mon poids.

Devant moi, un des compétiteurs avait les jambes tellement fatiguées qu'il est tombé deux fois sur la seule section de piste parfaitement plane du trajet. À cette étape du parcours, à peu près tout le monde a commencé à se rejoindre sur la piste. J'ai été étonné de passer près de deux compétiteurs qui se battaient sur des rochers. Quelqu'un devant moi est tombé et j'ai skié dessus ; puis il s'est relevé et m'a passé dessus à son tour. Je découvrais tout au long du parcours des pièces d'équipement qui jonchaient la piste : gants, tuques, bouts de bâtons de ski et skis brisés.

En rejoignant la route au pied de la pente, j'ai aperçu un concurrent devant moi qui n'avançait que sur un seul ski. Il restait encore cinq cents mètres de terrain plat à franchir avant la ligne d'arrivée et, le voyant sur un seul ski, j'étais persuadé de pouvoir le dépasser aisément. J'étais cependant incapable d'avancer d'un seul mètre. Même s'il n'avait qu'un ski, moi je n'avais plus de jambes. Un à un, les autres sont arrivés. Chacun avait perdu quelque chose en chemin. Fyshe est arrivé avec les deux oreilles complètement gelées et une bosse de la taille d'un gros œuf sur le dessus du crâne. Il avait atterri sur une souche et perdu son chapeau vers la mi-parcours. Finalement, Gratz Joseph est apparu. Il titubait et s'étendait de tout son long à tous les dix mètres. Il avait un ski dans un pied et, dans l'autre, il n'avait qu'une éclisse de bois de soixante centimètres de longueur et d'à peine quelques centimètres d'épaisseur. Le reste du ski se trouvait quelque part sur la montagne. Tous avaient une ecchymose quelque part, mais tous étaient

Un par un, à intervalles d'une minute, les skieurs disparaissent dans la forêt.
(Collection: Gray Rocks)

d'accord sur le fait que cette course était tout à fait exceptionnelle et que, maintenant la course terminée, ils avaient apprécié chaque minute de la descente.

Avec un temps de quinze minutes dix secondes, Harry Pangman, des Red Birds, remporte l'épreuve de descente. Il est suivi de près par Peter Gillespie et George Jost.

La dernière épreuve, celle du slalom, a lieu à proximité de la ligne d'arrivée, sur un parcours bien délimité autour d'obstacles naturels. Le dénivelé est d'environ 400 pieds. George Jost obtient la première place à cette épreuve avec Bob Marcoux et Arthur Gravel en deuxième et troisième places. George Jost est donc le grand gagnant du combiné descente/slalom et se mérite la première coupe Kandahar-Québec.

La Kandahar-Québec est devenue la première compétition majeure de descente au Canada. Le ski est enfin arrivé au Mont Tremblant.

L'Alpine

| NIVEAU | DÉNIVELÉ (M) | LONG. (M) | INCLINAISON % | | LARG. | SURFACE (HA) |
			MOY.	MAX.		
4	223	1274	25	56	30	3,48

La piste Alpine suit le parcours de l'ancienne remontée du même nom, ce qui
explique son tracé rectiligne. Elle suit la Beauvallon et aboutit
à la cabane Alpine Shack, à mi-chemin de la montagne.
Le ski de descente est né dans les Alpes. Voilà pourquoi il a été baptisé le ski alpin.

Dans les années 1920, toutes les couches de la société succombent à l'amour du ski et seul l'équipement varie selon que l'on est riche ou pauvre. Le riche, lui, est nanti d'une paire de skis qui se rapproche vaguement du ski de randonnée d'aujourd'hui. Il porte des chaussures adaptées qu'il maintient dans une fixation rudimentaire. Quant à la canne, il vaut mieux parler d'un pieu. Le pauvre, lui, skie sur des lattes de baril de chêne. Il porte sept paires de chaussettes dans ses «claques» qu'il glisse sous un anneau de cuir fixé au centre du ski. Pour ne pas glisser, le talon est déposé sur un bout de peau et un manche à balai se transforme en canne. Ainsi équipé, riches et pauvres montent et descendent les montagnes avec autant de technique et d'élégance qu'un toboggan.

59

Skieur de télémark dévalant une piste de Tremblant.
(Collection: Tremblant)

Les fixations rudimentaires permettaient essentiellement de se déplacer à skis d'un point à un autre. Les descentes et les virages étaient à toutes fins utiles impossibles à réaliser avec ce genre d'équipement.
(Collection : Musée canadien du ski)

C'est aux membres du club de ski Red Birds que l'on doit l'évolution des techniques du ski de descente. C'est même en grande partie grâce à eux qu'un jour cette discipline occupera une place à part dans le monde du ski.

Le chalet des Red Birds est situé devant la Big Hill à Saint-Sauveur et les membres les plus téméraires s'amusent à descendre la montagne des manières les plus folles. Cette façon de skier plutôt hasardeuse les oblige à tenter différentes acrobaties pour freiner sans tomber ou pour virer sans avoir à s'arrêter. C'est le début de l'évolution des « techniques » de ski, résultante directe de l'influence européenne qui commence à se faire sentir. Par contre, comme il n'existe aucune technique canadienne, les Red Birds ont toute la liberté désirée pour développer la leur et parfaire avec le temps la négociation des virages et le ski de descente. L'approche est simple : quand ils n'arrivent pas à contrôler leur vitesse, ils se jettent par terre. Cette « technique » d'arrêt des plus spectaculaires s'appellera un jour « l'arrêt de Briançon ». Et, pour ajouter au style, ils tiennent

Les mordus du ski nordique devront
s'incliner devant la popularité du ski alpin.
(Collection : Tremblant)

leurs cannes au-dessus de la tête pour ne pas s'empêtrer dans les virages, car si elles s'avèrent utiles à la montée, les cannes sont encombrantes à la descente. Il faut dire que les bottes sont molles, les fixations lâches et qu'il n'y a pas de carres de métal sous les skis. C'est pourquoi, même dans les compétitions, il est accepté que le coureur fasse du chasse-neige, prenne les virages en sautant ou en marchant, ou encore qu'il dérape sur plusieurs mètres. Le gagnant de la course est celui qui réussit à faire un savant mélange de toutes ces «techniques» tout en évitant les nombreux trous laissés par les autres skieurs. Ainsi, avec le temps et l'expérience, plusieurs skieurs arrivent à se démarquer dans les compétitions intercollégiales et on voit même apparaître des athlètes olympiques tels les Pangman et les Thompson.

Le talent du skieur et son expérience des descentes en forêt reste son atout principal en compétition. Car même avec l'arrivée d'un ski plus large et plus malléable, les skieurs aguerris à la forêt sont le plus souvent les vainqueurs des courses de descente. Au fil du temps, le ski de descente gagne une place considérable sur la montagne. Et comme la nécessité est généralement la mère de l'invention, un beau jour, un dénommé Alex Foster, un sauteur à skis, étudiant de McGill, installe une remontée mécanique sur la Big Hill à Shawbridge (voir chapitre 4). Cette nouvelle invention a l'effet d'une bombe, car elle va non seulement donner aux skieurs de Montréal un net avantage dans les descentes mais elle provoque dans le monde du ski nord-américain un virage aussi inattendu que spectaculaire. Aucun moment n'a été plus important dans l'histoire du ski, car dorénavant nous assistons au développement de deux écoles : le ski alpin et le ski nordique, ce dernier étant prôné, entre autres, par les purs et durs du Montreal Ski Club. Ce club de ski, le premier en Amérique, a pour devise : « Chaque homme, femme, garçon ou fille de Montréal sur ses skis ou dans sa tombe ! » C'est dire à quel point on fait du ski une histoire d'honneur. Pour le Montreal Ski Club, un skieur digne de ce nom gravit les montagnes à skis et pas autrement. Car comme le disait Jackrabbit : « la montagne se mérite ».

Mais on n'arrête pas le progrès et Foster installe, au pied de la Big Hill de Shawbridge, une vieille Ford qui actionne un système de câble et de poulies et qui permet à quiconque capable de s'agripper au câble (lequel les entraîne parfois plusieurs mètres dans les airs) de remonter la côte pour la somme de 5 cents la remontée. L'invention de Foster, surnommée Foster's Folly, révolutionne l'univers du ski

(Photos: Daniel Lévesque)

(Collection : Musée canadien du ski)

Ces trois photos illustrent bien l'aventure du ski depuis les années 1920. La technique du télémark (au centre) permettait des descentes hardies dans les forêts ainsi que des sauts spectaculaires. L'apparition des centres de ski alpin a provoqué l'émergence de nouvelles techniques. À gauche, un expert démontre la technique du christiania. À droite, un skieur exécute un virage timide avec les skis en parallèle.

tant en Amérique qu'en Europe car c'est la première remontée mécanique conçue pour les skieurs. (Bien qu'en Europe les skieurs profitent des téléfériques et des funiculaires, ils n'ont pas été conçus spécifiquement pour eux.)

L'idée, quoique financièrement peu rentable, fait son chemin et bientôt, grâce à Moïse Paquette, un mécanicien de Sainte-Agathe, chaque village des Laurentides possède sa propre remontée. Jackrabbit lui-même doit avouer que le Foster's Folly permet de décupler le nombre de descentes dans une journée. Mais l'étonnement passé et après analyse de la situation, il constate : « Quand on passe sa journée sur la remontée, on ne voit jamais plus loin que le bout de ses skis. »

Désormais, on compte deux catégories de skieurs, ceux qui pratiquent le ski alpin ou de pente et empruntent la remontée mécanique et... les autres, qui sont encore nombreux à s'opposer aux premiers. D'ailleurs lorsque le Kandahar Ski Club demande d'inclure le ski de descente et le slalom dans les compétitions internationales, la Norvège, la Finlande et la Suède s'y opposent fermement. Malgré les récalcitrants, le ski alpin accroît sa popularité et, dans les Laurentides, il faudra attendre les années 1970 pour que ce qui s'appelait autrefois le ski renaisse à nouveau sous le nom de ski de randonnée.

En 1936, on inaugure la première chaise mécanique pour skieurs à Sun Valley, en Idaho. Puis, en 1939, Joe Ryan installe au Mont Tremblant la « Aerial Ski Chair Ropeway ». C'est la fin de l'époque du ski norvégien. Curieusement, Jackrabbit sera un des premiers à emprunter la remontée mécanique à Tremblant mais, comme ses paroles en témoignent, elle ne réussira pas à faire sa conquête : « J'ai souvent gelé en descendant des montagnes mais on ne me prendra pas à geler en les remontant. »

La remontée mécanique, quoique naissante, s'enracine et attire des gens de partout à travers l'Amérique. Parmi ceux-ci, on retrouve Lowell Thomas, un chroniqueur sportif, grâce à qui Joe Ryan découvrira le Mont Tremblant.

La Lowell Thomas

			INCLINAISON %			
NIVEAU	DÉNIVELÉ (M)	LONG. (M)	MOY.	MAX.	LARG.	SURFACE (HA)
4	272	961	22	39	40	3,76

Très ensoleillée le matin, la Lowell Thomas offre une vue exceptionnelle sur le versant Est et sur le Parc du Mont-Tremblant. On y trouve de beaux contours naturels et agréables pour les skieurs de niveau intermédiaire.
Lowell Thomas est un auteur, journaliste et chroniqueur radiophonique bien connu du public américain. Ce skieur de renom a parcouru les plus grands centres de ski d'Amérique et d'Europe. C'est grâce à lui que Joe Ryan a découvert le Mont Tremblant en 1938.

L'HISTOIRE DU SKI au Mont Tremblant est écrite par des hommes plus grands que nature, amoureux du plein air et de la montagne, qui transportent avec eux un grain de folie et un goût extraordinaire de liberté. Parmi eux, Lowell Thomas, un chroniqueur de ski américain et montagnard aguerri sur qui la montagne exerce une immense fascination. Thomas, qui parcourt le monde à la recherche des plus beaux paysages et de nouveaux centres de ski, découvre un jour la Côte 70, à Saint-Sauveur. Mais ce n'est pas tant la montagne que les premières remontées mécaniques qui l'attirent.

65

(Photo: Pierre Gougoux)

Lowell Thomas, chroniqueur sportif américain.

(Photo: Tremblant)

L'engouement pour le ski ne s'est jamais démenti comme le prouvent ces images. Ci-contre: un groupe de skieurs montréalais au moment du grand départ. Sur la page de droite: des skieurs d'aujourd'hui qui s'élancent sur les pentes de la Lowell Thomas.

(Collection: Musée canadien du ski)

Lui qui est habitué de «mériter» les sommets et de faire l'ascension des montagnes à la dure, apprécie le fait de déléguer à un câble la tâche de lui faire gravir la montagne. De plus, n'est-ce pas un merveilleux moyen de faire découvrir et aimer le ski à son fils, Lowell jr? Mais ce n'est pas la seule raison qui l'attire dans les Laurentides. L'atmosphère si distincte à ce coin de pays le touche. Il aime ces montagnes et a constamment envie d'aller plus loin vers le nord, tant et si bien qu'un jour il atteint Saint-Jovite et se retrouve au Gray Rocks Inn. Nous sommes au début de l'hiver 1938.

Assis dans la salle à manger à la tombée du jour, il ne peut détourner les yeux de la masse éclatante de blancheur qui perce à travers la lumière mourante. Quelle est donc cette montagne qui se dresse dans ce décor majestueux et l'invite à l'aventure? Thomas n'a plus qu'une seule idée: en faire l'ascension à skis avec son fils. Son hôte, Tom Wheeler, lui apprend que cette montagne est le Mont Tremblant et que la meilleure façon d'en atteindre le pied demeure encore la voie des airs. Il ajoute que l'on peut en faire l'ascension en coupant à travers bois, mais qu'il ne faut pas négliger de mettre des peaux de phoque sous ses skis, pour faciliter la montée qui demande plusieurs heures.

Tom offre d'organiser l'expédition. Il pilotera les skieurs jusqu'au lac Tremblant et, de là, son frère Harry les guidera jusqu'au sommet.

À l'autre bout de la salle à manger, un des clients de l'hôtel, un jeune homme de forte stature qui semble avoir la trentaine, écoute attentivement la conversation. Il s'approche finalement du groupe et demande la permission de se joindre à l'expédition. Joe Ryan vient de passer plusieurs mois à voyager dans la forêt avec un guide autochtone et il confie à Lowell Thomas qu'il désire depuis longtemps gravir cette montagne. Puisqu'il y a encore une place dans l'avion, Lowell et son fils l'invitent à se joindre à eux.

Tom survole d'abord la montagne, puis amarre l'avion sur la glace. Tous, sauf Ryan, attachent des peaux de phoque sous leurs skis. Lowell Thomas s'inquiète de la façon dont Ryan arrivera à suivre la longue progression vers le sommet dans la neige profonde sans les indispensables peaux de phoque. Mais Joe, présumant de son expérience de la forêt, déclare en riant qu'il pourra se rendre partout où son hôte ira, avec ou sans peaux.

Le thermomètre indique environ -10° Fahrenheit et la montagne est ensevelie sous une neige profonde et poudreuse. Ils franchissent plusieurs centaines de mètres sur ce qui est aujourd'hui la Flying Mile. Quand Lowell Thomas se retourne pour voir où Joe Ryan en est rendu, il l'aperçoit, au pied de la montagne, enfoncé dans la neige jusqu'à la taille, qui essaie péniblement d'avancer, ses skis dans les mains. Sans peaux de phoque, Joe dérape inlassablement vers le bas et, à bout de nerfs, il a enlevé ses skis et essaie de monter à pied. Et même s'il piétine sur place, un fait semble incontestable : jamais il n'abandonnera. Devant ce spectacle, aussi comique que désolant, Thomas demande à Harry, leur guide, de prêter ses peaux de phoque à Joe pour qu'il ait une chance d'atteindre le sommet. Est-ce par grandeur d'âme que Harry accepte, ou parce qu'il veut être rentré chez lui avant la nuit ou tout simplement parce qu'il voit là une belle occasion de parfaire son entraînement physique en vue de sa participation à la course éreintante de traîneaux à chiens qui aura lieu à la Valley of Gold (Val d'Or) ? Quoi qu'il en soit, c'est équipé des peaux de phoque d'Harry que Joe et le reste du groupe atteignent le haut de la montagne après plusieurs heures de montée. Au sommet, la petite équipe découvre un monde fabuleux fait de cristaux de neige, de pins et d'épinettes couverts d'une épaisse couche de givre ou enfouis profondément sous la neige. Il fait soleil et la vue porte à l'infini sur un paysage de montagnes enneigées et de lacs glacés.

Ryan écrit : « De toutes les années que j'ai passées à me trimbaler autour du globe, je crois n'avoir jamais rien vu d'aussi beau. Mais cette montagne a quelque chose qui me dérange ; c'est une ascension beaucoup trop difficile pour venir apprécier un aussi beau paysage. »

Et pensif, pendant que Harry fait cuire des steaks sur un petit feu improvisé, il déclare à Lowell Thomas : « Bon Dieu que j'aimerais installer ici un câble aérien pour que ce soit plus simple de monter ici et d'en redescendre. » Puis, solennel, il annonce : « I think I'll fix that. » L'année suivante, une première remontée mécanique rend la montagne accessible aux skieurs.

Lowell Thomas fait plusieurs fois le tour des plus belles montagnes de la terre mais revient toujours au Mont Tremblant. Au cours des années 1950, il admet que son attachement sentimental à Tremblant est étroitement lié à son implication dans la transformation de ce monarque des Laurentides en un des terrains de jeu les plus réputés de la terre.

Lowell Thomas, qui réalisera plusieurs reportages radiophoniques à partir du Mont Tremblant, deviendra l'ami et le conseiller de Joe Ryan.

Photo de la page précédente
et photo ci-contre :
(Collection : Tremblant)

La Ryan

| NIVEAU | DÉNIVELÉ (M) | LONG. (M) | INCLINAISON % | | LARG. | SURFACE (HA) |
			MOY.	MAX.		
RYAN HAUT						
4	235	1091	22	33	27	2,96
RYAN BAS						
6	265	1346	20	18	19	2,61

La Ryan est une piste pour skieurs intermédiaires avancés. Elle a gardé son caractère original et son parcours en forme d'étroit ruban. Pour se rendre de la Lower Ryan à la Lower Lower Ryan, il faut s'attendre à faire du ski de fond, tant le passage est plat. La Ryan a 3,7 kilomètres de longueur avec une dénivelée verticale d'environ 2300 pieds. Plusieurs de ses composantes portent des noms: Fripp's Folly, les virages en S, les bosses, le Schuss et la chute. Du sommet de la Ryan on peut apercevoir le lac Ouimet (Gray Rocks) et le lac Tremblant. La Ryan est une des rares pistes au Mont Tremblant à avoir gardé son cachet original et la partie du bas offre toujours une des plus belles lignes de pente sur la montagne. Cette piste n'est pas toujours accessible à cause du peu de neige qu'elle reçoit. Joe Bondurant Ryan, un aventurier irlandais, découvre le Mont Tremblant en 1938 et entreprend de transformer cette montagne en une station de ski moderne de calibre international. La piste a été conçue et construite par Joseph B. Ryan en mémoire de son grand-père, Thomas Fortune Ryan.

(Collection: Tremblant)

Joe Ryan, fondateur de la station de ski Mont Tremblant.
(Huile sur toile d'Alphonse Jonders, 1943)

Dès sa première ascension, Joe Ryan
décide de faire du Mont Tremblant
une station de ski internationale.
(Collection : Tremblant)

J OE BONDURANT RYAN hérite non seulement d'une fortune que lui lègue son
grand-père Thomas Fortune Ryan, mais aussi de son caractère de bâtisseur,
de son goût du risque, de son côté batailleur et du tempérament nécessaire pour
se lancer dans les projets d'envergure.

Au tournant du siècle, le grand-père de Joe, qui se fait appeler «king» par ses
petits-enfants, détient un empire financier estimé à quelque 50 millions de
dollars. Pourtant, Fortune Ryan, un orphelin sans instruction, ne semblait en rien
prédestiné à un tel avenir. C'est à force d'observation, de batailles, de procès, de
pots-de-vin et de ruses que cet homme doté d'un talent naturel pour les affaires
finit par obtenir le droit d'exploiter des tramways électriques dans Broadway. La
Metropolitan Railway Company devient le premier holding des États-Unis et
Thomas Fortune Ryan est perçu comme l'un des hommes d'affaires les plus
redoutables du pays. Qui plus est, Fortune Ryan a du goût et tout l'argent qu'il
faut pour posséder l'une des plus prestigieuses collections de porcelaines de
Limoges au monde, des tapisseries anciennes, des tableaux de grands maîtres et
plusieurs sculptures parmi lesquelles trois bustes de lui-même signés Auguste
Rodin. À sa mort, Fortune Ryan lègue 142 millions de dollars que se partageront
le gouvernement américain et ses héritiers, dont Joseph Bondurant Ryan.

Joe Ryan naît en 1906. Fils cadet de William, un des cinq fils de Fortune
Ryan, Joseph ne connaîtra jamais son père qui meurt à peine deux mois après sa
naissance. Ingénieur minier, William laisse sa famille à l'abri du besoin.

Déjà tout jeune, Joe aime explorer les contrées sauvages. Il découvre le
Nouveau-Brunswick lors de voyages de pêche avec sa famille, et adolescent il
connaît déjà les étendues nordiques de l'Amérique. À dix-sept ans, il fuit la
maison pour un emploi de foreur à Rouyn-Noranda et l'été suivant, il travaille
en Alaska comme employé des mines d'or Hammond où le maniement de la
masse de dix livres l'endurcit et finit de lui sculpter un solide corps d'homme.

De retour à Philadelphie, il se lance avec talent dans la vente d'assurances
et devient un des meilleurs vendeurs de sa compagnie. Heureusement d'ailleurs,
car l'argent, aussitôt gagné, est dépensé.

Puis, à la mort de Fortune Ryan, Joe hérite d'une petite fortune : un véritable Eldorado. Il reçoit un chèque de 125 000 $ sans savoir s'il s'agit du capital
ou des intérêts de son héritage. Mais quoi qu'il en soit, Joe n'a que vingt-deux
ans et n'a aucunement l'intention de se priver. Il dépense sans compter, fait la

fête et quand il dégrise, ô miracle, un nouveau chèque l'attend. Joe quitte son emploi et achète sa place à la Bourse de Philadelphie, ce qui s'avère être une excellente façon de perdre son argent. En 1929, alors que la chance commence à tourner, la bourse s'effondre. Mais comme le dit la maxime, malchanceux au jeu... Il se marie un an plus tard avec Charlotte Johns Boettger avec qui il aura trois enfants : Lillie, Joe et Charlotte.

Mais Joe n'a pas le tempérament d'un homme de ville et rapidement ses amours d'adolescent refont surface. L'homme des bois s'ennuie des contrées sauvages. Il prétexte donc des intérêts dans la région de Chibougamau pour y retourner et explorer la contrée à la recherche de gisements miniers. Mais si la chance n'est pas au rendez-vous, l'amour des terres sauvages s'ancre en lui, toujours un peu plus. En 1936, il divorce. Il a trente ans.

Redevenu célibataire, il fait la tournée des meilleures stations de ski d'Amérique et de Suisse en compagnie de son cousin Théodore, un skieur expert. Joe a la tête à la fête et, de plus, l'âme à la gageure, car un soir, il parie avec Sid Hirst, un célèbre jockey, qu'il peut le battre à une course à cheval. Hirst n'en revient pas ! Mais Ryan le met au défi de le suivre en Australie, là où court Phar-Lap, son cheval de course, le meilleur au monde. Hirst relève le défi. Alors que se passe-t-il ce 15 janvier 1937 pour que Joe et Hirst ne s'embarquent pas pour l'Australie, but ultime de leur pari, mais qu'ils se retrouvent plutôt en Autriche ? On peut supposer que le commis aux billets était dur d'oreille et a entendu Austria au lieu de Australia. Et on peut aussi supposer que la prononciation des fêtards était plutôt molle. Quoi qu'il en soit, les deux compères n'ont pas l'air de s'en formaliser. Heureux d'être en Europe, ils voyagent et skient sur les plus belles et plus hautes montagnes, ce qui les amène à skier à Kitzbühel, là où pour la première fois Joe Ryan imagine développer un jour une station de ski. Mais en attendant ce moment, ils continuent leur tournée des grands ducs et se retrouvent à Rome où ils rencontrent le maharadjah de Jaipur avec lequel ils se lient d'amitié au point d'accepter l'invitation de le rejoindre en Inde. Les deux globe-trotters se rendent donc au palais du potentat où, pendant trois semaines, ils participent à des banquets, une chasse au tigre et toutes sortes de divertissements royaux. Le temps venu de rentrer au pays, ils prennent l'avion en direction des États-Unis mais une escale à Bangkok leur réserve une dangereuse surprise. En effet, une importante épidémie de choléra

L'autobus assure le transport des skieurs depuis la gare jusqu'au Mont Tremblant.
(Collection : Municipalité de Mont-Tremblant)

Le Mont Tremblant vu du Gray Rocks.
(Collection: Gray Rocks)

sévit dans la ville mais les deux voyageurs échappent à la contagion grâce à une cure au champagne et au brandy. Finalement, de villes en villages, ils atteignent San Francisco sans, apparemment, n'avoir jamais vu l'Australie. Au retour de Joe, Bernard Baruch, l'exécuteur testamentaire de son grand-père, l'apostrophe vertement. Il est excédé d'avoir à lui verser des avances sur ses émoluments et lui conseille sans ambages d'arrêter de faire la noce et de se mettre au travail. Joe se ressaisit et décide d'entreprendre quelque chose de solide. Kitzbühel l'a marqué et en juin il se rend à Sun Valley, en Idaho, pour examiner de plus près cette station dont il a beaucoup entendu parler. Il revient dans l'est en janvier 1938, dans l'espoir de faire du ski, mais il est désapointé par la rareté de la neige dans les États de la Nouvelle-Angleterre, ce qui l'amène dans les Laurentides, au Gray Rocks Inn, en février 1938. C'est là qu'il rencontre un journaliste américain, Lowell Thomas, qui l'invite à se joindre à lui pour gravir le Mont Tremblant à skis (voir chapitre 8).

Ce qui au départ ne devait être qu'une partie de plaisir sans conséquences prend une tournure insoupçonnée. En arrivant au sommet, Joe a un coup de cœur pour le paysage qui se déploie devant lui. Ce qu'il voit l'émeut profondément. C'est si grand, si calme, si silencieux, si majestueux qu'il a l'impression que le temps n'a plus d'emprise et que la liberté est à perte de vue. C'est la révélation : tout devient clair, c'est comme si chacune des ses expériences, chacun de ses voyages avaient gravi la montagne avec lui, s'étaient fixés puis cristallisés en arrivant au sommet pour donner un sens à cette vie jusqu'ici débridée. Comme si la liberté enfin maîtrisée devenait une fidèle alliée et complice de ses rêves. Sa vie vient de changer. Il a trouvé sa montagne et sa maison. Désormais, il n'a qu'un seul but : rendre le sommet du Mont Tremblant accessible.

Lors de son passage à la station de ski Sun Valley, il y a vu construire une espèce de remontée mécanique à la fine pointe du progrès. Une sorte de chaise pour skieurs ou chaise sur câble. En fait, il ne sait trop comment nommer cette invention, mais ce qu'il sait, c'est qu'il en veut une au Mont Tremblant.

Joe se sent pressé par le temps. Son voyage autour du monde et sa visite des centres de ski de l'Ouest américain lui ont bien fait comprendre la place prépondérante qu'occupent ces stations dans les loisirs des nantis de ce monde. Il connaît l'achalandage des grandes stations qui attirent une clientèle aisée à la recherche du caractère, de la culture et de l'exotisme des Alpes. Mais il connaît aussi

Peu de temps après sa découverte du Mont Tremblant, Joe Ryan fait construire une remontée mécanique.
(Collection : Lucille Duncan)

la situation politique qui prévaut en Europe. Il pressent que la guerre est proche et que bientôt les Alpes ne seront plus accessibles. Joe est intimement persuadé qu'il doit développer une station qui offre le caractère de la France provinciale du XVIIe siècle. Ainsi construite dans l'est de l'Amérique, aux limites du Grand Nord, sur la plus haute montagne de la plus vieille chaîne du monde selon la croyance répandue à l'époque, cette station de ski a toutes les chances de fonctionner.

Mais tous ne le voient pas du même œil et les propriétaires des auberges et hôtels des Laurentides trouvent le projet extravagant et retiennent leur souffle en attendant impatiemment le moment où, à bout de ressources, le Philadelphien rentrera chez lui. Mais c'était sans compter sur la persévérance et le flair de Joe Ryan.

Joe, en homme d'action qu'il est, entreprend les travaux sur la montagne sans attendre les autorisations gouvernementales. Mais Ryan ne jouit pas de toutes les libertés, car le Mont Tremblant est situé à l'intérieur des limites du Parc du Mont-Tremblant et toute construction y est formellement interdite sans un arrêté en conseil gouvernemental. Mais, autorisation ou pas, il construit le Inn, une auberge de 20 chambres qui respecte le style canadien de l'époque. Il fait aussi bâtir plusieurs petits cottages, un grand restaurant et quelques boutiques. Et quand le bureau du premier ministre lui donne un vague consentement pour aller de l'avant, les constructions sont bien amorcées. On défriche le tracé de la fameuse remontée qui se rendra à mi-chemin de la montagne et on en confie la construction aux ingénieurs de la U.S. Steel de Philadelphie.

À l'automne 1938, Ryan a investi des milliers de dollars et le gouvernement ne lui a toujours pas octroyé les autorisations pour la construction. Non seulement la patience n'est pas la première qualité que l'on attribue à Ryan mais, de surcroît, il n'a pas l'habitude qu'on se mette en travers de son chemin. Ainsi, le 14 octobre, il met le cadenas sur le chantier et part pour New York. Sans l'intervention du curé de la paroisse de Lac-Mercier (voir chap. 10) auprès du premier ministre et l'aide d'un financier de New York qui connaît Duplessis, le projet n'aurait jamais vu le jour. Joe revient à Tremblant et le 25 octobre il conclut enfin son marché avec le gouvernement du Québec.

La saison de ski n'est pas loin et les travaux reprennent de plus belle. Joe est pressé, fébrile, irritable et s'emporte pour un oui ou un non. Tous ont droit à des remarques vexantes et sont victimes de décisions arbitraires. Erling Strom, qui vient à peine d'être embauché comme directeur de l'école de ski, n'a qu'un seul mot pour décrire la situation : « confusion ». On oublie de construire une cuisine au restaurant et quand on décide de contourner le problème et de la construire dans la cave, on réalise qu'il n'y a pas de cave. Tout est en retard. Ryan dirige les opérations à partir de son hôtel de Palm Springs en Californie. Kare Nansen, qui supervise le chantier, reçoit un jour l'ordre de congédier un employé et, le lendemain, de l'embaucher de nouveau. Il arrive aussi que Ryan renvoie tout le monde sauf Strom et le chef, et qu'en moins d'une semaine tout le monde soit réengagé, grâce à la diplomatie de Nansen. Même Strom, le directeur de l'école de ski, finit lui aussi par être congédié avant même l'ouverture de la station, laquelle a finalement lieu de peine et de misère le 12 février 1939.

Joe ne s'est pas fait que des amis parmi les propriétaires de centres de ski des Laurentides. Et la plupart d'entre eux étaient persuadés qu'il fermerait ses portes avant même l'ouverture de la station. Ils doivent au bout du compte admettre que la dépense d'une telle somme d'argent ne relève nullement de la folie, mais tout simplement d'une vision de l'avenir différente de la leur. La vision d'un homme qui a fait le tour du monde, qui n'a pas peur et qui a une foi inébranlable en ses projets.

En avril 1939, lors d'une réception à New York, Joe tombe amoureux d'une Virginienne d'une grande beauté, Mary Rutherford, arrière-petite-fille du général sudiste Bradley T. Johnson. Tout au long de leurs fréquentations, Joe ne parle que d'une chose : Tremblant. À l'été 1939, Mary et Joe se marient. Quand

Le Chalet des voyageurs aux premiers temps de Tremblant.
(Collection : Tremblant)

Mary arrive à Tremblant, elle est déjà amoureuse de l'endroit, tant Joe le lui a louangé. À cette époque, Joe a déjà investi 250 000 $ dans le développement et Mary, en se mariant, devient partenaire d'une entreprise qui possède une montagne, une remontée mécanique et une auberge. Mais une question se pose. Devraient-ils tout investir dans le développement de la montagne? Ce qui veut dire tout perdre si les choses tournent mal. Mary, sans hésiter, vote oui. Sept mois plus tard, le magazine *Time* écrit ceci: «[...] Les Laurentides deviennent très populaires chez les skieurs américains. Le nouveau rendez-vous de tous est le Mont Tremblant qui a célébré son premier anniversaire le mois dernier. La station a été construite au coût de 750 000 $ par Joe Ryan. Le Mont Tremblant est devenu le Sun Valley de l'est de l'Amérique.» Le *Time* ajoute que Doris Duke Cromwell, une cliente de l'hôtel, a refusé un rendez-vous galant avec le délégué belge au Canada parce que le ski était excellent à Tremblant et qu'elle voulait y rester. Cette nouvelle amène des milliers de personnes au Mont Tremblant. Joe et Mary, qui sont aussi deux bons skieurs, dépensent des milliers de dollars pour améliorer les conditions de ski : en 1941, ils confient à un Européen le design et l'installation de l'Alpine, une nouvelle remontée qui mènera les skieurs au sommet de la montagne à partir de la chaise Flying Mile, et cette même année, ils élaborent des plans pour le développement du versant nord de la montagne. Ils défrichent, ils développent, ils construisent et un bon jour, avec ses quarante petits chalets d'une pièce ou deux, construits tout autour du Inn, la station prend des allures de petit village québécois. Au cours de l'hiver de 1940-1941, 4100 clients s'enregistrent. Tremblant attire des célébrités et des gens de partout sur le continent, d'aussi loin que le Venezuela et Hawaï. Mary ouvre une boutique où l'on vend des articles qu'elle-même a sélectionnés. En fait, elle laisse son empreinte partout à Tremblant, car elle participe à la majorité des décisions. Elle fait preuve d'autant de persévérance et de ténacité que Joe. Mary sait ce qu'elle veut et comment l'obtenir et sans elle, la station Tremblant ne serait pas la même. Le 30 janvier 1941, un sénateur fédéral les félicite pour l'extraordinaire travail qu'ils viennent d'accomplir et met en lumière le fait que grâce à eux, 300 000 $ US entrent chaque année au Québec.

Le couple devient célèbre et envié. Ils ont deux enfants, un fils, Peter Barry, et une fille, Seddon. Ils mènent une vie faste et règnent sur Tremblant comme sur un royaume, lequel va rapidement devenir la plus importante station de ski de l'est de l'Amérique. Ils sont prospères et il semble que rien ne soit impossible pour Joe et Mary. Tremblant est toute leur vie et pour tout l'or du monde, Joe et Mary ne voudraient vivre ailleurs sur la terre. Les enfants du premier mariage de Joe travaillent pour la station et les deux enfants du couple, Peter Barry et Seddon, le feront aussi.

Mais la vie de château a, elle aussi, ses hauts et ses bas, ses coups d'éclats, ses passions, ses sombres mesquineries, ses revers et parfois ses limites. Ainsi, à la fin des années 1940, la vie devient difficile pour Joe Ryan qui se débat de plus en plus avec des problèmes d'argent. Puis, un après-midi de 1950, Joe Ryan, celui que certains ont appelé le maître du Mont Tremblant ou encore Emperor Joe, s'éteint dans des circonstances tragiques. On le retrouve étendu sur un trottoir à New York. Certains disent qu'il se serait jeté de la fenêtre de sa chambre d'hôtel, mais d'autres rejettent fermement la thèse du suicide.

Joe et Mary Ryan règnent sur Tremblant comme sur un royaume.

(Collection : Tremblant)

Le «Beach Club».
(Collection: Peter Duncan)

Ce qui nous reste de Joe Ryan, c'est d'abord et avant tout l'image d'un homme passionné, qui a réussi à transformer le Mont Tremblant en une station quatre saisons de calibre international devenue le rendez-vous des célébrités du monde entier. Joe doit une bonne partie de son œuvre à Mary qui, beau temps, mauvais temps, l'a appuyé inconditionnellement.

Selon Stan Ferguson, probablement le seul gérant de l'hôtel que Joe n'ait jamais congédié, les gens des Laurentides ont une dette énorme envers ce personnage. Mais Joe Ryan éprouvait une gratitude immense envers le pays qui lui a permis de se mettre à l'œuvre et de démontrer son savoir-faire. «Ce pays, dit-il, m'a fourni plus que je ne pourrai jamais rembourser. Si ce que j'ai fait peut contribuer à aider le Canada par l'apport de dollars américains, croyez-moi, c'est la seule satisfaction que je veux en retirer», avoue-t-il au journaliste Kenneth Cooper en repoussant du doigt son Fedora noir sur sa tête.

Mais force est de reconnaître que Joe a aussi hérité de plusieurs traits de caractère de son grand-père. Cette façon de prendre des décisions rapidement en se fiant à son instinct, lequel apparemment leur faisait rarement défaut, ainsi que ce désir brûlant de faire de l'argent et de développer de grandes entreprises. Car Joe Ryan emploie cent cinquante personnes du village et paie mensuellement 10 000 $ en salaires. Il a apporté la prospérité, tant matérielle que culturelle, aux gens du village qui fréquentent de plus en plus d'étrangers et, en cela, il est devenu un allié et un grand ami du curé DesLauriers.

10

La Curé DesLauriers

			INCLINAISON %			
NIVEAU	DÉNIVELÉ (M)	LONG. (M)	MOY.	MAX.	LARG.	SURFACE (HA)
4	287	1322	22	36	32	4,19

Cette piste, parmi les premières à avoir été construite en 1938, portait à l'origine le nom de la Père DesLauriers. Elle a conservé ses contours et ses courbes originales, permettant aux skieurs de tous les niveaux de skier à toute allure dans les courbes, grandes et petites. La section du haut, éclairée le soir, fait partie de la zone aventure.

Charles-Hector DesLauriers (1898-1979) a été curé de la paroisse du Sacré-Cœur-du-Lac-Mercier qui, un jour, prendra le nom de village de Mont-Tremblant. Le curé DesLauriers a fait sa marque au Mont Tremblant à cause de l'acharnement qu'il a mis à aider Joe Ryan à développer la montagne.

L E SÉMINARISTE Charles-Hector DesLauriers est un homme hors du commun. Sous des dehors réservés, se cache un homme d'action et d'affaires persévérant et entrepreneur. De plus, le curé DesLauriers parle parfaitement l'anglais, chose rare au début du siècle. Il n'est donc pas étonnant qu'en 1929, en pleine crise économique, cet homme résolu et volontaire accepte la cure de la paroisse de Sacré-Cœur-du-Lac-Mercier, laquelle est plongée dans le chômage et la pauvreté. Le curé est de la race d'hommes capables de relever les défis malgré un état de santé fragile que lui a légué la grippe espagnole.

81

(Photo : Pierre Gougoux)

Charles-Hector DesLauriers.

(Collection : Lucille Duncan)

Le curé DesLauriers en compagnie de quelques participants de la course Kandahar-Québec en 1940.

(Collection : Tremblant)

Et pour ajouter à la catastrophe économique du village, la Standard Chemical, qui fait de l'alcool à partir du bois et fournit du travail à trente-cinq hommes, ferme ses portes! Pendant la Grande Guerre, la Standard Chemical fabriquait des munitions à partir d'un dérivé du bois et avait été une importante source de revenus pour les gens de la région. La fermeture de cette entreprise est doublée de celle de nombreux petits établissements ainsi que de la mise à pied de plusieurs hommes par la Canadian International Paper. La situation est désastreuse. Il est urgent de trouver des solutions et on ne peut pas compter sur les produits de la terre. Tout comme le curé Labelle, Charles-Hector DesLauriers pressent que les entrailles du sol des Laurentides ne seront jamais une source d'abondance. En fait, ce qui lui apparaît clairement, c'est qu'une seule industrie peut faire vivre ses paroissiens : le tourisme. Car seuls les chasseurs, les pêcheurs et les skieurs qui fréquentent le Gray Rocks laissent fidèlement de bonnes sommes d'argent dans la paroisse.

Le curé passe à l'action. Il met tout en branle pour attirer les touristes. Dans un premier temps, il rappelle aux paroissiens que les beautés naturelles qui les entourent peuvent se transformer en mine d'or s'ils se donnent la peine de regarder et de développer. Il entreprend ensuite une campagne d'embellissement. C'est ainsi que l'on voit le village s'orner de fleurs et de couleurs plus attrayantes les unes que les autres. Mais, si louables soient-ils, tous ces efforts ne règlent pas en une saison les problèmes de pauvreté. L'hiver reste tout spécialement difficile pour les jeunes du village qui ne disposent de presque rien pour se distraire. Quelques-uns, par contre, à l'imagination fertile, s'amusent à imiter les skieurs en glissant sur des lattes de baril ou des vieilles planches recourbées. Frappé par cet intérêt pour le ski, le curé décide d'encourager ce sport chez les jeunes. En 1934, il fonde le Mont Tremblant Ski Club et organise la première compétition de ski Intervillages. Et pour rehausser le prestige de la course, on demande entre autres à Jackrabbit et Tom Wheeler de tenir le rôle d'officiels de la course. Voyant que le ski gagne de plus en plus d'adeptes chez les jeunes, le curé, appuyé des paroissiens, fait construire un tremplin de trente mètres pour le saut à ski sur une montagne avoisinante. En fait, l'enthousiasme du curé à développer le ski est directement proportionnel à son engouement pour ce sport. Le curé a en effet la réputation d'être un excellent skieur.

Le curé n'a de cesse d'encourager les jeunes et de les mettre à contribution pour qu'ils travaillent à l'embellissement de leur région. Ainsi, aidé de la Canadian International Paper qui fournit les jeunes pousses d'arbres, le curé organise le reboisement de terres laissées nues par la coupe à blanc. L'opération connaît un si grand succès que la nouvelle se propage jusqu'au bureau du premier ministre Maurice Duplessis, lequel, après une rencontre avec le curé DesLauriers, lui demande de coordonner d'autres projets de reboisement. Mais le curé ne s'arrête pas là. Certains points qui nuisent au développement de l'industrie touristique le chatouillent encore : les chemins mal entretenus ainsi qu'un manque flagrant de services. Le curé presse les Cantons unis de Salaberry et Grandison, dont son territoire fait partie, d'unir leurs forces et de remédier à la situation, mais en vain. Devant une fin de non-recevoir, le curé DesLauriers entreprend de faire l'indépendance de la paroisse et, le 24 avril 1940, l'Assemblée législative du Québec adopte la loi qui fait de la municipalité de Lac-Mercier celle de Mont-Tremblant.

Parallèlement, en 1938, Joe Ryan veut entreprendre les travaux d'aménagement de la future station Mont Tremblant Lodge. Le curé est ravi. D'une part, Joe Ryan, un homme d'affaires énergique, fréquente l'église tous les dimanches et, d'autre part, son projet attirera le tourisme et fournira du travail à long terme à ses ouailles. Sur les conseils du curé, ils lancent conjointement un appel aux villageois : tous les honnêtes hommes trouveront de l'ouvrage. Le jour de

Le curé DesLauriers en compagnie d'enfants.
(Collection : Tremblant)

l'embauche, Ryan réunit des centaines de travailleurs au pied de la montagne et s'adresse à eux en ces termes : « Que tous les hommes mariés et qui ont une famille s'avancent. Si vous voulez travailler pour moi, vous êtes embauchés. » Puis c'est au tour des hommes mariés sans enfants, des célibataires et enfin des jeunes hommes. Ainsi, près de deux cents personnes, villageois et fermiers des environs, trouvent enfin du travail : cinquante hommes défrichent la montagne et cent cinquante autres construisent la station. Tout va pour le mieux et l'optimisme règne quand, le 20 octobre 1938, Paul Gallagher, le gérant des opérations sur la montagne, passe en trombe chez le curé pour lui annoncer que Ryan a arrêté les travaux, congédié tout le monde et qu'il retourne à New York ! C'est la catastrophe. Le curé ne peut se permettre la fermeture du Mont Tremblant. Avec l'exode des entreprises précédentes, si Ryan part à son tour il ne restera plus au curé d'autre choix que de faire appel à l'assistance gouvernementale pour ses paroissiens.

Le curé DesLauriers s'est pris d'amitié pour l'excentrique Américain et, chose plus importante, il a confiance en lui. De plus, l'ouverture de la montagne représente, pour tous les pères de famille du village, du travail régulier et constructif.

Mais si Ryan a pris la décision de retourner à New York, c'est qu'il se butte à un problème de taille : le gouvernement. Le Mont Tremblant est situé à l'intérieur des limites du Parc du Mont-Tremblant et le précédent gouvernement libéral, avec à sa tête Alexandre Taschereau, a interdit la vente de toute portion de terrain comprise à l'intérieur des limites du parc. Joe Ryan a déjà dépensé 50 000 $ en main-d'œuvre sur la foi d'une vague autorisation verbale du premier ministre Maurice Duplessis, chef de l'Union nationale. Celui-ci lui a affirmé qu'il pouvait aller de l'avant en lui promettant que les choses allaient s'arranger au moment de la reprise parlementaire en janvier. Joe a confiance en Duplessis et il croit qu'il sera plus simple d'obtenir l'accord des législateurs quand ceux-ci auront vu ce qu'il est en train de construire sur la montagne. C'est donc sur cette base, sans aucun droit légal sur le territoire, qu'il entreprend les travaux, tout en pressant le gouvernement de signer les autorisations nécessaires. Mais lorsqu'il entend parler d'élections, Joe s'inquiète. Si un premier ministre d'allégeance libérale venait au pouvoir, oserait-il désavouer la législation des parcs votée par ses propres troupes ? Joe en doute fortement.

Désormais, les enjeux sont trop élevés et la gageure est trop risquée quand on mise sur l'incertitude de la politique. Dans ces conditions, il est hors de question que Joe investisse les 150 000 $ que lui coûteront la remontée mécanique. Il décide que c'est assez et il quitte le Québec en attendant que les choses aillent de l'avant.

Au petit village de Lac-Mercier, 90 % des sept cents âmes sont catholiques et pour Charles-Hector DesLauriers, c'est le devoir du curé de veiller au bien-être tant spirituel que matériel de ses paroissiens. Le curé décide donc de prendre les choses en main. Mais tout comme Ryan, il se butte aux lenteurs administratives gouvernementales. Il ne lui reste donc plus qu'une carte à jouer, une carte qu'il a hésité à utiliser jusque-là vu les bonnes relations qu'il entretient avec le premier ministre : le chantage. Le 20 octobre 1938, le curé DesLauriers téléphone à Québec. Selon certains de ses proches, il aurait menacé Duplessis de faire en sorte que de Mont-Laurier à Saint-Jérôme, personne ne vote pour son parti si les autorisations demandées par Ryan lui étaient refusées. Apparemment, Duplessis prend la menace au sérieux, car il indique au curé que cinq signatures de ministres sont nécessaires pour aller de l'avant et que la sienne

L'équipe olympique française en 1949.

(Collection : Tremblant)

lui est accordée. Le curé entreprend sur-le-champ un marathon frénétique d'appels téléphoniques pour rejoindre quatre ministres susceptibles de lui être favorables. Il en rejoint deux à Québec, un à Matane et un autre à Montréal. Le curé a gagné. Mais sa victoire n'est pas complète : il lui reste à rejoindre le principal intéressé, Joe Ryan.

Toujours en état d'urgence, Charles-Hector Des-Lauriers demande à l'opératrice : « Connect me with Joseph B. Ryan somewhere in New York City ! » S'agit-il d'un miracle ou d'un travail de limier des opératrices new-yorkaises ? L'histoire ne le dit pas, mais le jour suivant, le curé parle à Joe descendu à l'hôtel Gotham. Curieusement, Joe a déjà été mis au courant de la merveilleuse nouvelle par Ben Smith, un homme d'affaires de Wall Street qui a tenté d'intercéder auprès de Duplessis, mais trop tard, ce dernier ayant déjà donné son accord au curé DesLauriers.

Le marathon du curé a nécessité cinq heures d'interurbains au coût de 76 $.

Désormais, Ryan développe une solide alliance avec le curé qui deviendra un ami et un conseiller précieux pour le Philadelphien. Dès lors, le curé s'implique de plus en plus dans l'opération Mont Tremblant et, ayant gagné la confiance de tous, tant patron qu'employés, il devient officieusement une sorte de directeur du personnel chargé du salut des âmes et du respect des bonnes mœurs. Quand Stanley Ferguson, gérant de la station, est sur le point de congédier un employé, le curé, doté d'un bon sens de l'humour, lui répond : « On est mieux avec un diable qu'on connaît qu'avec un diable qu'on connaît pas ! »

Lors d'un congrès à Saint-Jovite, le curé lance l'idée de créer un mouvement de jeunesse dont le champ d'action serait centré sur la connaissance, le respect et la protection de nos ressources naturelles. Deux ans plus tard, l'Association forestière québécoise fonde les Clubs 4-H du Québec (honneur, habileté, humanité et honnêteté) qui ont pour but d'implanter chez les jeunes des idéaux écologiques et chrétiens. Le curé DesLauriers en devient le conseiller moral.

Le curé DesLauriers en compagnie de
Mary Ryan, Lucille et Charlie Duncan au
cours de l'hiver 1959-1960.
(Collection: Lucille Duncan)

En 1960, le curé, toujours actif, fonde l'Association de la vallée de la Rouge qui a pour mission de reboiser les terres dévastées par la coupe. Grâce au curé, on y plantera près d'un million d'arbres par année. Six ans plus tard, son implication dans l'environnement lui vaut la plus haute décoration forestière décernée par le gouvernement du Québec, celle de Grand Officier de l'Ordre du Mérite forestier et, en 1970, il reçoit le prix national « L'Homme et les ressources naturelles ».

En 1978, le curé DesLauriers, devenu une personnalité marquante dans l'univers de la foresterie au Québec, se retire dans son presbytère à Mont Tremblant, mais jusqu'à sa mort, à l'âge de 81 ans, il demeurera impliqué dans la vie de la station Tremblant.

Le curé DesLauriers a réussi à sortir ses paroissiens de la misère. Le 12 février 1939, jour de l'inauguration de la remontée mécanique et de la Flying Mile, il sait que si tout se passe bien, ses paroissiens seront désormais à l'abri du besoin et que le village connaîtra enfin la prospérité économique.

11

La Flying Mile

| NIVEAU | DÉNIVELÉ (M) | LONG. (M) | INCLINAISON % | | LARG. | SURFACE (HA) |
			MOY.	MAX.		
6	272	930	28	52	50	5,7

La Flying Mile est la première piste à avoir été défrichée en vue de l'inauguration de la station de ski sur le Mont Tremblant en 1938. Depuis lors, elle demeure une piste très populaire auprès des amateurs de ski de bosses et des experts. Le sommet de la piste est surplombé par la Mary Ryan Hut, qui était à l'origine un salon de thé, mais qui aujourd'hui tient plutôt lieu de refuge pour les skieurs. De cette maisonnette, on peut, tout à loisir et au chaud, admirer le sommet du Pic White d'un côté et le lac Tremblant de l'autre.

Flying Mile est le nom d'un cheval de course fougueux ayant appartenu à Joe Ryan.

À PEINE LOWELL THOMAS lui a-t-il fait découvrir le Mont Tremblant que déjà, à l'été 1938, Ryan entreprend les travaux sur la montagne. Il n'a pas une minute à perdre s'il veut être en mesure d'ouvrir la station dès la prochaine saison de ski, car Joe Ryan a l'intention d'inaugurer ici une remontée mécanique comme celle qu'il a vue à Sun Valley, dans l'Ouest américain. Il défriche simultanément le tracé du télésiège qui se rendra à mi-chemin du sommet et une première piste à droite de la remontée, qui portera bientôt le nom de Flying

Le Chalet des voyageurs dans les années 1980.

(Collection: Tremblant)

Construction de la Flying Mile.
(Collection : Tremblant)

Mile. Cette piste longera le télésiège et s'élancera d'un seul trait vers le bas de la pente. Mais en cours de défrichement, Joe arrive face à un précipice qui coupe la piste en deux. Il demande donc conseil à son ingénieur du ski, Jackrabbit Johannsen, chargé d'aménager les autres pistes sur la montagne. Johannsen, qui mieux que quiconque connaît la montagne, lui conseille de dévier de la ligne directe et d'ouvrir un autre tracé. Mais cette réponse ne plaît pas à Joe. Ce n'est pas le genre de piste qu'il désire. Il veut une piste rapide et intimidante. Une piste à l'image de son cheval de course ! Une piste qu'aucune entrave ne peut arrêter ! Et comme Ryan préfère, et de loin, affronter les obstacles plutôt que de les contourner, il décide finalement de construire un pont au-dessus du précipice ! Ainsi, les skieurs les plus téméraires pourront se lancer vers le bas de la pente.

Le 12 février 1939, jour de l'ouverture officielle de la station, le Mont Tremblant offre quatre nouvelles pistes : la Flying Mile, la Simon Cooper, la Sir Edward Beatty et la Nansen, en plus des pistes déjà existantes, la Kandahar, la Taschereau et la Dawes Ridge.

L'événement est couvert par tous les journaux de la métropole, car en plus de l'inauguration du fameux « ski lift » de 4200 pieds de longueur, qui peut transporter 250 skieurs à l'heure, cette date coïncide avec la tenue de la course Taschereau, une compétition extrêmement populaire organisée par le Saint-Jovite Ski Club.

Une foule de gens s'entassent au pied de la pente et attendent avec impatience que « l'invention » se mette en branle. Les journalistes, embêtés, sont incapables de s'entendre sur un nom à donner à cette innovation. On parle donc de téléférique, de chaise câblée (cable chair), de remontée pour chaise câblée (cable chair lift), de chaise de ski (ski chair) ou de monte-skis (ski lift). Finalement on opte pour un peu de tout et on appelle la remontée «voie aérienne câblée pour chaise de ski» (aerial ski chair ropeway).

Mais la foule joyeuse et impatiente devra prendre son mal en patience, car la veille, alors qu'on était à faire les derniers essais de la voie aérienne câblée pour chaise de ski, on a réalisé que le câble de la remontée était étiré et que les skieurs risquaient de voir leurs skis traîner dans la neige. Panique ! L'inauguration est compromise ! La U.S. Steel de Philadelphie dépêche de toute urgence deux spécialistes pour raccourcir le câble et retisser les deux bouts. Dès leur arrivée, les deux hommes s'installent au sommet de la remontée et se mettent au travail.

Le retour des skieurs vers la gare.
(Collection : Tremblant)

La situation se résume ainsi : l'énorme poulie qui retient le câble est supportée par une tour d'acier montée sur un chariot mobile, lequel se déplace sur des rails. Un immense contrepoids sert à maintenir la tension dans tout le système et empêche ainsi que le câble ne devienne lâche et ne traîne dans la neige. Mais l'élongation du câble fait que le chariot, rendu au bout de sa course, menace de dérailler. Il faut donc raccourcir le câble, un travail long et ardu. Le matin de l'inauguration, la nouvelle voie aérienne câblée pour chaise de ski demeure donc obstinément immobile, le temps que les ingénieurs fassent leur travail.

La foule, qui attend maintenant depuis plusieurs heures, s'impatiente, questionne, réclame le spectacle, mais en vain. En début d'après midi, Erling Strom, premier directeur de l'école de ski du Mont Tremblant, congédié pour divergences philosophiques, mais tout de même présent pour l'inauguration, décide de monter au sommet, à skis, pour constater *de visu* ce qui se passe.

La construction de la remontée
de la Flying Mile.
(Collection : Peter Duncan)

À son arrivée, les travaux achèvent. Pendant que les hommes s'affairent aux derniers préparatifs, Strom examine attentivement la poulie, la tour d'acier, les rails et le travail effectué. Il reste songeur pendant quelques instants, puis fait remarquer à l'ingénieur en chef qu'il aurait pu tout simplement ajouter deux rails, ce qui aurait permis au chariot de poursuivre sa course et ainsi maintenir la tension du câble! Que cette opération aurait été beaucoup plus rapide, que l'inauguration aurait pu avoir lieu beaucoup plus tôt et qu'ils auraient pu retisser le câble à un autre moment.

Long silence. L'ingénieur en chef blêmit. Puis il entraîne Strom à l'écart, et lui dit tout bas : «Je vous en prie, ne dites rien de tout ça à personne!»

La remontée s'ébranle enfin un peu avant trois heures, heure à laquelle la foule doit regagner la gare et rentrer à Montréal...

Malgré cette mésaventure, Joe Ryan a tenu la promesse qu'il s'était faite en janvier 1938. Le télésiège fonctionne et le Lodge accueille ses premiers clients. L'endroit offre un cachet unique et la Flying Mile fait le bonheur des skieurs experts. Désormais, on ne parlera plus jamais du Mont Tremblant sans y associer le nom de Joseph Bondurant Ryan, le millionnaire de Philadelphie qui peut dorénavant développer sa station comme il l'entend. Pour Joe, sa station est un village, son village; et pour le catholique pratiquant qu'il est, tout village digne de ce nom doit posséder une chapelle. La sienne deviendra la chapelle Saint-Bernard.

La descente au flambeau.

12

La Saint-Bernard

			INCLINAISON %			
NIVEAU	DÉNIVELÉ (M)	LONG. (M)	MOY.	MAX.	LARG.	SURFACE (HA)
5	60	450	25	36	25	1,9

La piste Saint-Bernard, une piste pour experts, forme une partie du dernier ressaut de la montagne devant la place St-Bernard. Cette section constitue le point de convergence de plusieurs pistes : la Flying Mile, la DeSerres, la Beauvallon, la Bière en bas et la Ligne de pente. Le côté nord de cette saillie façonne la Saint-Bernard et le côté sud la piste Johannsen. Ce bout de piste est caractérisé par les bosses énormes et nombreuses formées par la neige accumulée par les nombreux skieurs. C'est un endroit privilégié pour l'arrivée des skieurs lors des compétitions. La chapelle Saint-Bernard est la copie conforme de la chapelle Saint-Bernard située à l'île d'Orléans.

Avec ses maisons de bois aux couleurs pastel, Joe et Mary ont véritablement réussi à reproduire un village typiquement québécois mais néanmoins teinté de l'atmosphère française du XVIIe siècle. Malgré tout, il manque encore un élément indispensable à tout village quand on veut lui insuffler une âme. Il faudrait une chapelle, une toute petite église au caractère exceptionnel où, tôt le matin, les skieurs viendraient se recueillir et entendre la messe.

95

(Collection : Tremblant)

(Collection: Tremblant)

Mur du «Lodge» peint par Jean Palardy.
(Collection: Archives nationales du Canada)

C'est fort probablement conseillé par Jean Palardy, lequel a dessiné tous les meubles du Lodge et du Inn, que Joe et Mary se rendent à l'île d'Orléans à l'hiver 1940 en quête d'un modèle de chapelle fidèle à la tradition. Car Jean Palardy se passionne pour la conservation du patrimoine québécois, dont il est d'ailleurs devenu une sommité. Pourtant, ses études à l'École des beaux-arts de Montréal, où lui ont enseigné des maîtres tels qu'Alfred Laliberté, semblaient plutôt le destiner à la peinture et à la sculpture. Mais quelques années plus tard, sa rencontre avec Louis Fréchette, un original qui passe son temps à fouiller la campagne à la recherche de chansons et contes traditionnels, allait être déterminante. Fréchette réussit à éveiller la curiosité de Jean et à développer chez lui un intérêt pour la tradition québécoise. Mais c'est Marius Barbeau qui donnera à Jean Palardy la vraie piqûre pour le patrimoine et un intérêt qui se transforme, au contact de Barbeau, en véritable passion.

Quel personnage que ce Marius Barbeau! Pionnier ethnologue, anthropologue, bien avant que nos universités s'intéressent à cet aspect de la sociologie, il poursuit inlassablement des recherches de folklore qui influencent

La vieille église Saint-Bernard à l'île d'Orléans.
(Photo: Archives nationales du Québec)

La chapelle construite par Joe et Mary Ryan.
(Collection: Tremblant)

Tous les dimanches, le curé DesLauriers
bénit les skieurs devant la chapelle.
(Collection : Tremblant)

Palardy et il amasse des chansons et légendes pour le Musée national, particulièrement dans la région de Charlevoix. Jean Palardy lui fait découvrir beaucoup de meubles, d'objets d'artisans. Il devient son assistant pendant quelques années.

Ensemble, ils entreprennent un inventaire des œuvres d'art. Durant trois années consécutives, ils travailleront intensément. Ils se quitteront sporadiquement, mais sans jamais se perdre de vue, et, devenus des amis indéfectibles, ils collaboreront durant toute leur vie [...].

[...] Jean Palardy comprend dès lors l'importance de notre folklore et de notre patrimoine. Il devient adepte de la tradition orale.

Les deux s'attardent donc à noter, relever, répertorier et aussi enregistrer le souvenir... qui se perd !

(Tiré du livre de Roger Blais : *Jean Palardy, peintre témoin de son époque*, Éditions Stanké.)

Palardy n'a pas attendu Joe et Mary pour découvrir Tremblant. Déjà, en 1929, il vient peindre sur le bord du lac Tremblant, lequel à cette époque est une source d'inspiration pour plusieurs des plus grands artistes peintres du Québec et du Canada. Jean Palardy et Joe Ryan ne font pas exception à la règle. Mais leurs intérêts communs ne s'arrêtent pas là. Car si Ryan est, à ses heures, un peintre amateur, Palardy est, quant à lui, un excellent skieur qui, tout comme Jackrabbit, n'attend pas que les pistes soient défrichées pour dévaler le Mont Tremblant. D'ailleurs, adolescent, il faisait partie de ces illuminés qui descendaient à skis les pentes du mont Royal (voir chap. 4).

Quand Palardy dirige Joe et Mary vers l'île d'Orléans, il sait qu'ils ont toutes les chances de trouver ce qu'ils désirent et c'est effectivement ce qui arrive. On peut facilement imaginer qu'en faisant des recherches, Joe et Mary sont séduits par une photo d'archives de la chapelle Saint-Bernard qui relevait alors de la paroisse Saint-Laurent. Construite en 1670, cette chapelle avait été démolie en 1864. À l'été 1941, les Ryan engagent la construction de la chapelle Saint-Bernard, qu'ils veulent une réplique exacte de celle de l'île d'Orléans.

Jean Palardy dessine les plans, qui sont ensuite retouchés par un architecte new-yorkais. Tous les détails de la chapelle de l'île d'Orléans y sont calqués, jusqu'au toit rouge et au coq sur le clocher. Palardy et les Ryan collectionnent

Joe Ryan repose au pied du Mont Tremblant dans le petit cimetière attenant à la chapelle.
(Photo : Guy Fradette)

des vieux chandeliers, des sculptures et des peintures (dont des copies du Titien). Ils dénichent des lustres, des statues et des crucifix de bois ayant appartenu à de vieilles églises du Québec. Toutes les pièces de la chapelle, incluant les peintures (non signées), sont du XXe siècle, sauf les deux anges en bois au-dessus de la porte de la sacristie, de même que les croix sur les autels et le Sacré-Cœur qui sont du XIXe siècle. Mary y installe même quelques toiles qui font partie de son héritage ancestral. En mars 1942, le curé DesLauriers bénit les skis et dit la première messe à la chapelle Saint-Bernard, patron des skieurs.

Tout au long des années 1940 et 1950, les skieurs assistent à la messe en tenue de ski. Et il n'est pas rare de voir le curé DesLauriers bénir les skieurs lui-même chaussé de ses bottes de ski que la soutane n'arrive pas à dissimuler.

Et si l'on est tenté de croire que cette chapelle ressemble à bien d'autres, que l'on se détrompe. Cette chapelle, contrairement à tous les temples, fait la paix avec tous les dieux, quels qu'ils soient. Car elle a ceci d'unique au monde que les gens de toutes confessions religieuses peuvent s'y marier. Et c'est à Mary Rutheford Ryan que les amoureux du monde doivent cette largesse d'esprit peu commune. Pendant les onze années de leur mariage, Mary n'a-t-elle pas assisté à la messe tous les dimanches aux côtés de Joe, alors qu'elle était protestante ? Après la mort de Joe, Mary s'est quand même assise tous les dimanches sur le banc près de la fenêtre. Mais ses regards sont désormais tournés vers le petit cimetière qui n'accueille qu'une seule tombe faisant face au soleil couchant : celle de son mari. Dix ans plus tard, son fils Peter, âgé de vingt-deux ans, se tue dans un tragique accident de course automobile lors du Grand Prix de France et vient reposer auprès de son père. En 1983, à l'âge de soixante-treize ans, Mary vient rejoindre son mari et son fils.

C'est en souvenir de Joe et Mary et pour continuer à glorifier le caractère sacré de la demande en mariage et du geste amoureux que la chapelle Saint-Bernard continue de célébrer plus de quarante mariages par année, et à unir, devant le Dieu qu'ils vénèrent, des hommes et des femmes de tous les pays et de toutes les religions.

La Taschereau

| NIVEAU | DÉNIVELÉ (M) | LONG. (M) | INCLINAISON % | | LARG. | SURFACE (HA) |
			MOY.	MAX.		
5	215	804	28	41	42	3,35

La Taschereau a été tracée au cours de l'été 1935 et emprunte en partie le sentier de la tour à feu qui mène au sommet de Tremblant. Fermée au cours des années 1970, elle est réouverte en 1993 selon les plans de Gary Davies pour la firme Intrawest. La piste originale se situait du côté de la Grand Prix.
Quant à la piste actuelle, elle est constituée de plusieurs contours naturels et son changement d'axe (nouvelle orientation) offre aux skieurs un nouveau point de vue sur le lac Tremblant.
La piste est inaugurée à l'hiver de 1936 grâce aux efforts de l'homme d'affaires Sidney Dawes qui amasse la somme de 1700 $ dans le but de développer des pistes de ski dans les Laurentides. La Taschereau sera nommée en l'honneur du premier ministre Alexandre Taschereau qui complétera cette somme par un octroi gouvernemental.

Le lac Tremblant.
(Collection : Tremblant)

Louis-Alexandre Taschereau, premier ministre du Québec de 1920 à 1936.
(Collection : Assemblée nationale)

Il y a ceux qui façonnent la Montagne et ceux qui sont façonnés par elle. Le Mont Tremblant a depuis toujours engendré des champions et des championnes. Des hommes et des femmes qui défient la montagne et qui se révèlent à travers les multiples compétitions organisées par Tremblant.

La coupe Taschereau, la plus grande course junior de la province, voit le jour au Mont Tremblant en 1936, trois ans avant que Joe Ryan ne développe sa station. C'est Johnny Bédard du Gray Rocks Inn, alors président du Saint-Jovite Ski Club, qui décide de tenir une première compétition pour les aspirants, de classe B et C, ceux-là mêmes qui un jour prendront part à la course Kandahar-Québec.

En 1938, le Mont Tremblant est le siège de trois des plus célèbres courses à être tenues au Québec et au Canada : la Kandahar-Québec, la descente Taschereau et le championnat féminin de descente organisé par le Penguin Ski Club. Le 1er février 1953, Mary Ryan ajoutera la coupe Ryan en mémoire de son mari, décédé trois ans plus tôt. La coupe Ryan se tient sur la Devil's River, la première piste à être ouverte du côté nord.

La coupe Taschereau a d'abord été créée pour amuser et encourager les jeunes de la région à skier et à développer leur esprit de compétition. Le Saint-Jovite Ski Club, supporté fortement dans son initiative par le curé DesLauriers, a misé juste. Et si cette course a finalement permis à des jeunes, issus pour la plupart de familles pauvres, de rejoindre les grands du ski, elle reste, même pour tous ceux qui ne sont pas devenus des champions, digne de leurs plus beaux souvenirs. Quelque 60 ans plus tard, Louis Cloutier se souvient encore avec ravissement de sa participation à la course Taschereau. Nous sommes en 1938, et Louis, qui arbore fièrement ses 13 ans, vient se confronter aux 111 autres candidats.

Cette année-là, 17 filles participent à la plus longue course dans l'est du Canada alors que les années précédentes on les comptait sur les doigts des deux mains. Il y a parmi elles, Yvonne Godmer et Patricia Paré, deux étoiles montantes dans le monde du ski de descente.

Ces femmes font pour la plupart partie du club de ski Penguin, un des plus importants clubs de femmes au Québec. Alors que ce sport est encore la chasse gardée des hommes, ce club, fondé en 1932 par un groupe de femmes, veut faire mentir le vieil adage, probablement répandu par des «gentlemen», qui veut que les femmes ne soient pas assez fortes pour faire du ski. Le club, qui se donne

Rhoda et Rhona Wurtle.
(Collection: Musée canadien du ski)

d'abord pour mission de faire la promotion du ski auprès de la gent féminine, prend soudainement des proportions insoupçonnées et devient rapidement un club de compétition pour les femmes. Bientôt, les meilleures skieuses font la barbe à la majorité des hommes en les surclassant largement, lors des compétitions. Cette montée en flèche s'explique aisément par le fait que grâce au club, les femmes ont tout le loisir de skier entre elles comme elles l'entendent et, si elles le veulent, des manières les plus téméraires qui soient. Avoir fait partie d'un club de ski pour hommes les aurait probablement privées de certaines expériences et limitées dans leurs exploits. La famille Molson leur fait don d'une petite maison sur leur terre à Saint-Sauveur, maison qui devient leur « club house ».

De ce groupe émergent de grandes skieuses telles les filles de Jackrabbit, Peggy et Alice, les trois sœurs McNichols, Patricia et Alphonsine Paré, de même que Rhoda et Rhona Wurtle.

À l'exemple de plusieurs participants, Louis arrive le 13 février, veille de la compétition. Faisant partie des plus fortunés, il couche à l'hôtel Meilleur sur les

La cabane de Tom Wheeler au sommet
du Mont Tremblant.
(Collection: Gray Rocks)

rives du lac Tremblant. Les plus chanceux, quant à eux, couchent dans les familles des environs, tandis que les moins nantis dorment à la gare, entassés autour de l'unique poêle à bois. D'autres arrivent au Mont Tremblant par le train, le matin même de la compétition. Les plus malins arrivent à voyager gratuitement: juste avant que le contrôleur n'entre dans le wagon, ceux qui n'ont peur de rien se pendent à l'extérieur du train en se tenant aux rebords des fenêtres. Les compétiteurs viennent de partout: Montréal, Sainte-Agathe, Ottawa.

À neuf heures, on remet les dossards à l'hôtel Meilleur et à dix heures, les cent douze compétiteurs et compétitrices gravissent nerveusement les quatre kilomètres de la Taschereau.

Pour arriver à monter sans reculer ou tomber toutes les minutes, Louis a enroulé des cordes autour de ses skis. Pour ceux qui n'ont pas de peaux de phoque, gravir le Mont Tremblant n'est pas une sinécure. Les plus riches, comme Louis, possèdent des skis modernes, fabriqués en atelier, avec une fixation dernier cri : la Grasshopper, un étrier de métal qui reçoit le devant de la petite botte en cuir souple et une lanière de cuir qui fait le tour du talon à la manière des câbles en acier qu'on retrouve encore aujourd'hui sur certaines fixations de télémark.

En arrivant au sommet, les compétiteurs et compétitrices sont en nage, complètement épuisés. Mais les filles n'ont ni le temps de se reposer ni celui de manger, car on leur annonce qu'elles prennent le départ dans cinq minutes. Quinze minutes après les filles, ce sera au tour des hommes. Louis fait alors la connaissance de quelques compétiteurs, dont Alec Gillespie, le gagnant de la deuxième Taschereau, qui sont montés la veille et ont couché dans la cabane que Tom Wheeler a fait construire au sommet. Gillespie est venu défendre son titre. Trop pauvre pour se payer le train, il est parti à skis de Sainte-Agathe, la veille de la course, il a grimpé la montagne et couché dans le refuge de Tom. Il a enveloppé précieusement, dans son sac à dos, la coupe qu'il a gagnée et dont il ne veut se défaire à aucun prix.

Louis porte le dossard numéro 106 et est donc parmi les derniers à partir. Numéro 105. Louis sent son cœur battre. Tout en se disant qu'il serait peut-être encore temps de partir en direction opposée, il place sur ses yeux un morceau de mica prélevé dans le pare-brise d'une auto, qu'il porte coincé sous sa casquette et dont il se sert comme lunettes de ski. Il ne croit pas beaucoup en ses chances de succès, car il se mesure à des concurrents beaucoup plus âgés et expérimentés que lui. Il entoure ses chevilles d'une bande de caoutchouc qu'il fixe sur le ski, derrière le talon, pour tenter de l'immobiliser.

Pour que les skis obéissent mieux, il utilisera le système de la super diagonale, un virage dans le style du télémark, la seule technique qui peut lui permettre de virer avec cet attirail de fortune.

Numéro 106 !

Ça y est, c'est son tour.

Les conditions sont horribles ! Les 105 skieurs précédents lui ont laissé une piste couverte de trous et de plaques où la terre a été mise à nue sous l'effet des nombreux virages. Il s'engage d'abord dans une petite piste étroite qui pique à travers bois. Puis, il glisse sur une série de vagues de bosses. Il prend de la vitesse, de plus en plus de vitesse. Il doit maîtriser ses skis, car la pire chose qui puisse lui arriver, c'est de piquer dans le bois. Il s'engage dans un grand virage et dérape sur une longue distance lorsque enfin il aperçoit une petite clairière. Mais cette ouverture lui réserve des surprises, car de là-haut, la montagne pointe follement vers le bas. Heureusement, il réussit à freiner en s'agrippant à de gros feuillus qui bordent la piste. Il a eu chaud, mais voilà qu'un virage en S fermé et très à pic l'oblige à se mettre en « petit bonhomme » sur ses skis. C'est maintenant au tour des cuisses d'absorber l'effort du virage et les coups qui frappent sous ses skis. S'il tient bon, il se retrouvera dans peu de temps sur la partie plane. Ça y est ! Il reprend à peine son souffle que, devant lui, s'ouvre un précipice. S'il ne s'engouffre pas dans le petit sentier étroit à sa gauche, qui sait ce qui arrivera ! On ne lui avait pas dit que dévaler la Taschereau, c'était risquer sa vie ! Il fait sa dernière prière puis vire. Opération réussie. Mais ce n'est pas tout, devant lui, une autre pente ascendante. Il sent ses jambes faiblir, les muscles de ses cuisses sont tellement endoloris qu'il a l'impression qu'ils lui crient d'arrêter. Mais pas question. De toute manière, une autre partie plane s'annonce. Il peut enfin se relever et libérer ses jambes des tensions atroces qu'il leur fait subir depuis le fameux virage en S. Il en profite pour accélérer en poussant avec ses cannes. Il reprend de la vitesse et réalise qu'il est sur une pente descendante. Heureusement, il arrive à une fourche qui lui permet de contrôler sa vitesse avant d'engager ses skis sur la Kandahar. La piste étroite passe autour d'un rocher. Il la négocie à travers un long dérapage. Puis de nouvelles dénivellations de l'autre côté, puis un shuss qui plonge sur la gauche avec un virage au bas qui aboutit dans un passage plus facile à travers bois. La piste se prolonge en douceur et offre un répit quand soudain, sans avertissement, elle se met à accélérer de plus en plus. Louis amorce le dernier shuss quand, brusquement, il est ramené à la réalité par une foule de spectateurs qui apparaissent dans son champ de vision. C'est ici qu'il faut faire un dernier grand virage. Il doit à tout prix maintenir sa position, surtout que tout le monde le regarde. Il file dans le dernier shuss comme une fusée alors qu'au loin apparaît enfin, tout embrouillée, la ligne d'arrivée.

Quelques heures plus tard, tous les compétiteurs réunis à l'hôtel Meilleur attendent anxieusement l'annonce des gagnants et la remise des trophées. Patricia Paré, qui courait en classe C, récolte le meilleur temps avec 4'54", alors que le meilleur homme, Grey Miller en classe B, a fait 4'17". Cette course prend

Rémi Cloutier, gagnant d'une course
iinter-villages.
(Collection : Rémi Cloutier)

en moyenne six minutes et seulement les meilleurs sont sous la barre des quatre minutes. Patricia surclasse tous les hommes de classe C et la plupart de classe B. Ce jour-là, elle devient la reine du Mont Tremblant.

Cette même année, Patricia Paré se classe troisième au Canada lors de la compétition du championnat canadien qui se tient à Banff.

C'est au tour des juniors de recevoir les trophées. Premier : Émile Cousineau ! Alec Gillespie doit lui remettre son trophée, si ardemment défendu. Deuxième : Rolph Hendricks ! Troisième : Gaston Tourangeau ! Quatrième : Louis Cloutier ! Un grand frisson de bonheur le parcourt des pieds à la tête.

Le lendemain, dans *La Presse* du 15 février 1938, on peut lire :

> Yvonne Godmer, de Sainte-Adèle, membre du ski club de Saint-Sauveur, a aussi fait excellente figure dans la classe C, se classant troisième. Étonnant succès des juniors, Louis Cloutier a réussi une performance remarquable. Les juniors suivaient 90 skieurs, dont plusieurs étaient tombés. Cette compétition prouve une fois de plus que les jeunes Canadiens français des Laurentides, si on leur donne l'encouragement qu'ils méritent, pourraient devenir des skieurs hors pair.

La course Taschereau connaît un succès instantané, car se classer parmi les premiers signifie pour les enfants, riches ou pauvres, l'espoir d'aller rejoindre un jour les meilleurs. Et, en effet, plusieurs de ces jeunes deviendront des champions qui modèleront le caractère et l'esprit des skieurs canadiens. L'histoire de la coupe Taschereau est écrite par des jeunes comme Lucile Wheeler la première canadienne à remporter une médaille olympique.

LUCILE WHEELER

Quelques mois à peine avant sa mort tragique dans une avalanche au lac Louise dans les Rocheuses, Herman Gadner, qui enseigne depuis plusieurs années à la fille de George Wheeler, a perçu chez elle un grand talent pour le ski. Il recommande donc à son employeur, propriétaire du Gray Rocks, de pousser la fillette de dix ans à faire de la compétition et il le convainc de la laisser participer à une course au Mont Tremblant à la mi-janvier 1945. La jeune fille s'y classe huitième chez les femmes. Quelques mois plus tard, elle arrive deuxième dans la catégorie junior à la coupe Taschereau.

La nouvelle de la mort de Gadner frappe Lucile de plein fouet, mais elle s'accroche à sa passion et poursuit son entraînement avec acharnement. Vers la fin des années 1940, ses entraîneurs sont les meilleurs de l'époque: Johnny Fripp, Charlie Duncan et Bob Richardson. Mais c'est surtout avec Ernie McCulloch qu'elle s'entraîne de façon régulière au cours des ans. Lucile Wheeler gravit rapidement tous les échelons du ski et domine la scène mondiale en moins de dix ans.

Elle gagne toutes les coupes Taschereau dans sa catégorie et, en 1951, elle remporte la Kandahar. À l'âge de 17 ans, elle est choisie pour faire partie de l'équipe olympique du Canada avec les sœurs Wurtle, Joanne Hewson et Rosemarie Schutz, et elle se distingue aux Olympiques d'Oslo, en 1952.

L'année suivante, elle arrive première lors de l'inauguration de la coupe Ryan au Mont Tremblant. Puis, elle remporte les championnats canadiens tenus à Mont Tremblant en 1953. Lors des championnats du monde de ski à Are, en Suède, en 1954, elle se classe septième en descente, le meilleur résultat de tous les temps pour une Canadienne (ou un Canadien) participant à une compétition internationale.

Puis, Cortina d'Ampezzo, en Italie, consacre son ascension fulgurante. Aucun Canadien n'est encore monté sur le podium lors d'une compétition

Lucile Wheeler, surnommée
la Baby Taschereau.
(Photo: Montreal Daily Star, 29 janvier 1947)

internationale, encore moins aux Olympiques. En cette année de 1956, devant une très forte délégation international de skieuses, elle se classe troisième en descente et mérite la médaille de bronze. Elle devient ainsi la première Canadienne à se mériter une médaille olympique mais également la première Nord-Américaine à obtenir une médaille en descente. C'est la consécration de sa carrière, mais Lucile ne s'arrête pas là.

En 1957, elle remporte la descente et le combiné de la célèbre Hahnenkammen, à Kitbühel, en Autriche, et l'année suivante les championnats mondiaux de Badgastein, en Autriche.

Descente, médaille d'or: Lucile Wheeler.

Slalom géant, médaille d'or: Lucile Wheeler.

Combiné descente, slalom et slalom géant, médaille d'argent: Lucile Wheeler.

Depuis ces victoires en chaîne, Lucille Wheeler n'a cessé de recevoir les plus hauts mérites et les plus hautes distinctions: elle accède au temple de la renommée, elle reçoit l'ordre du Canada.

La Devil's River

| NIVEAU | DÉNIVELÉ (M) | LONG. (M) | INCLINAISON % | | LARG. | SURFACE (HA) |
			MOY.	MAX.		
5	325	1176	29	43	32	3,77

La piste Devil's River, autrefois la White Peak Trail, a été nommée ainsi parce qu'elle mène tout droit vers le Devil's River Lodge et la rivière du Diable. La légende veut que les sorciers algonquins aient nommé la Montagne tremblante Manitonga-Soutana, ce qui signifie montagne des esprits ou montagne du diable. Le nom aurait par la suite été donné à la rivière endiablée qui coule à ses pieds. Pour les anglophones, elle devient tout simplement la Devil's River.

Dès l'ouverture du versant sud du Mont Tremblant, certains skieurs audacieux du Red Birds Ski Club prennent l'habitude de jouir de la saison de ski au-delà de la fermeture des remontées mécaniques, en skiant sur le versant nord du Mont Tremblant là où l'accumulation de neige est plus que suffisante pour skier jusqu'à la fin du mois de mai et parfois même début juin. Ils s'élancent donc sur une piste qu'ils sont les seuls à fréquenter et qu'ils nomment la Devil's River, pour la simple raison qu'elle aboutit à la rivière du Diable.

Joe Ryan, qui cherche une manière de prolonger les activités de sa station, y voit une occasion en or. Nul doute que c'est dans ce prolongement que se

III

(Photo : Daniel Lévesque)

(Collection : Lucille Duncan)

trouve la solution rêvée. Depuis son arrivée à Tremblant, Joe cherche le moyen de développer le côté nord de la montagne, car la neige y arrive plus tôt, elle y est abondante et elle y fond plus tard qu'au versant sud. Le hic, c'est qu'il n'y a pas de lac du côté nord et comme les Ryan veulent une station touristique ouverte toute l'année, ils ont concentré la majorité de leurs efforts du côté sud. Au reste, six ans après l'ouverture, leur station de ski est évaluée à quelque 2,5 millions de dollars et est réputée comme destination de choix, tant l'hiver que l'été. Ils possèdent un yacht d'une valeur de 10 000 $, une flotte de bateaux de plaisance, 25 milles de sentiers balisés pour les chevaux de selle, sans compter la nouvelle attraction : un terrain de golf. En fait, tout ce que touche Joe Ryan devient or, et s'il sait abattre tous les obstacles, une chose lui résiste encore et toujours : les moustiques qui, invariablement, font fuir les touristes au mois de juin. D'ailleurs, chaque année, au retour des beaux jours, tous les rêves de Joe sont en veilleuse en attendant qu'il mette la main sur un nouvel insecticide qu'on appelle le DDT et qui, croit-il, viendra à bout de l'ennemi.

Mais, au moins, les moustiques ne l'empêcheront pas d'ouvrir le côté nord, puisque celui-ci ne sera exploité qu'en hiver. Pour venir à bout de ce projet, Ryan est prêt à retarder celui d'ouvrir une route qui permettrait à la clientèle d'accéder au sommet de la montagne en voiture pour y admirer le panorama. Mais comme la saison d'hiver reste pour lui beaucoup plus lucrative, tout cela attendra. Et puis, un « lodge » sur l'autre versant de la montagne l'arrangerait beaucoup, car Joe est aux prises avec un problème qu'un second hôtel pourrait résoudre. C'est que le Mont Tremblant Lodge est un club sélect où seuls des membres triés sur le volet sont admis. Les autres, ceux qui n'ont ni le profil ni le comportement souhaité par les Ryan, sont jugés indésirables et priés d'aller loger ailleurs. Et pour arriver à ses fins, Joe double le prix de leurs chambres ou de leurs repas ; et si le message n'est pas assez clair, il les expulse par le fond de culotte ! D'autres encore sont interdits de séjour et reconduits au manoir Pinoteau. Mais si Joe se montre intolérant, il reste un homme d'affaires et les pertes encourues à cause de cette sélection lui font mal au cœur... Mais avec l'ouverture du versant nord, il tient enfin le moyen de récupérer toute cette clientèle perdue.

En 1946, le gouvernement Duplessis autorise Ryan à aller de l'avant dans son projet. Il achète donc 500 acres le long de la rivière du Diable et loue, dans

Joe Ryan rêve de développer le versant nord, mais celui-ci n'a pas de lac comme le versant sud.
(Collection : Tremblant)

Peter Duncan devant le Devil's River Lodge. Peter ne se rappelle plus à quel âge il a mis des skis pour la première fois.

(Collection : Peter Duncan)

le Parc du Mont-Tremblant, tous les terrains essentiels à la construction de la nouvelle remontée mécanique et à l'aménagement des pistes du versant nord. Mais Ryan se butte à un énorme obstacle : ouvrir une route le long des flancs escarpés du massif montagneux qui descend jusqu'à la rivière. Lors de l'appel d'offres, les entrepreneurs réclament un prix exorbitant ou bien déclarent qu'il est impossible de déboiser un chemin le long de la Diable. Mais le mot impossible ne fait pas partie du vocabulaire de Joe Ryan. Il décide donc d'acheter un énorme bulldozer de neuf tonnes, deux scies à chaîne, et il entreprend de tracer lui-même son chemin aidé de Jean Fleurant à bord du bulldozer et d'une équipe de journaliers. Il ouvre une première route qui part du lac Supérieur et enjambe la rivière du Diable pour se rendre au versant nord, puis une seconde de sept milles de long qui relie le côté sud au côté nord. Cette dernière route demandera à elle seule six mois de travail.

Sitôt qu'il atteint la base du versant nord, il commence la construction de la remontée et du nouveau village. Contrairement au développement du versant sud, moins de dix ans auparavant, où il embauchait jusqu'à 500 hommes à la fois, la main-d'œuvre se fait rare en cette année 1947. Et pour ajouter aux difficultés, une grève des ouvriers de l'acier retarde la construction de la remontée. Les coûts montent en flèche : de 1000 $ le mille en 1938, les prix grimpent jusqu'à 6000 $ le mille en 1947. Malgré toutes les embûches, Ryan termine sa nouvelle station dans les délais prévus. Les skieurs du versant nord peuvent dorénavant emprunter une chaise qui atteint la mi-montagne, aujourd'hui le sommet de l'Expo et de là, deux remontées par câble se chargent de les amener tout en haut de la montagne. Au même moment, il construit une auberge identique au château Beauvallon qu'il baptise le Devil's River Lodge et le Bear's Den (la Ouache), un restaurant bâti en rondins situé littéralement dans un trou où les rongeurs partagent les repas des skieurs. Il ajoutera à cet ensemble hétéroclite une nouvelle cabane en bois rond qui deviendra un dortoir où les skieurs moins fortunés pourront dormir moyennant un dollar la nuit.

Le jour de l'inauguration du côté nord en mars 1948, Joe et Mary sont propriétaires de l'une des plus grandes stations de ski au monde. En passant du côté nord le matin au côté sud l'après-midi, les skieurs peuvent, s'ils le désirent,

Charles Duncan, Ernie McCulloch,
Mary Ryan et Lucille Duncan.
(Collection : Lucille Duncan)

skier au soleil toute la journée. Il y a maintenant plus de 80 kilomètres de nouvelles pistes toutes remarquables, offrant aux skieurs de tous niveaux un large éventail de difficultés. Elles sont soit très escarpées, comme la Lowell Thomas et la Devil's River Run, ou très larges comme la désormais célèbre Sissy Schuss, vaste comme un terrain de football, où le moins habile des débutants peut skier avec plus de facilité dès la première descente.

Joe et Mary confient la direction du côté nord à Charlie Duncan et à son épouse. C'est sur ces pistes que leur fils Peter grandira et c'est de là qu'il entreprendra la conquête des championnats de ski pour devenir, au début des années 1960, l'un des sept meilleurs skieurs au monde.

Skieurs de la Belle époque.
(Photo: Tremblant)

Skieur d'aujourd'hui.
(Photo: Daniel Lévesque)

15

La Duncan

| NIVEAU | DÉNIVELÉ (M) | LONG. (M) | INCLINAISON % | | LARG. | SURFACE (HA) |
			MOY.	MAX.		
5	516	2548	21	45	45	1,37

Nommée en l'honneur de Charlie Duncan (père de Peter Duncan et ancien
directeur des opérations sur la montagne), la Duncan a deux personnalités.
C'est une piste pour experts dans la partie du haut et une piste
pour intermédiaires dans la partie du bas.
Avec ses 2548 mètres, elle est classée deuxième piste en longueur sur la montagne.
Elle prend naissance sur le sommet du White Peak, à l'arrivée même de la
remontée Duncan Express, qu'elle longe sur presque toute sa longueur. Dans ce
secteur de la montagne, on ne trouve que des pistes réservées aux skieurs de
calibre expert. La seule exception à cette règle est précisément le bas de la Duncan
qui est classé intermédiaire. Dans sa partie supérieure, la Duncan permet d'accéder
à plusieurs autres pistes de calibre expert telles Coyote,
Devil's River, Saute-moutons et Les Rapides.
Piste très populaire avec plusieurs accès, elle jouit de l'ensoleillement du matin.

Peter Duncan

(Collection : Tremblant)

Charlie Duncan

(Collection : Lucille Duncan)

Le ski de père en fils. Peter
et Charlie Duncan en 1948.

(Collection : Lucille Duncan)

QUAND, APRÈS LA GUERRE, Charlie Duncan ramène avec lui au Mont Tremblant sa jeune épouse et son fils Peter, encore bébé, Joe Ryan lui offre de diriger le côté nord du Mont Tremblant et d'installer sa petite famille dans le Devil's River Lodge, bâti au pied de la montagne.

Comme tous ceux qui ont fait l'histoire du Mont Tremblant, Charlie Duncan est amoureux de cette montagne et n'hésite pas à s'y investir corps et âme. Mais pour sa jeune femme, Lucille, qui a grandi à Windsor Mills, dans une maison moderne avec l'électricité et l'eau courante, le choc est d'importance quand elle emménage au Devil's River Lodge, car en plus de ne pouvoir jouir d'aucune commodité, elle doit composer avec les ours qui viennent plusieurs fois par semaine manger sur la galerie ou regarder Peter dormir à travers la fenêtre de sa chambre. Régulièrement, Charlie doit sortir son fusil et abattre les ours qui rôdent autour de la maison ou qui s'approchent effrontément jusqu'à la porte de la cuisine. Pour protéger Peter, les Duncan achètent un chien qui suit le petit partout où il va, jour et nuit. Et si cette vie dans les bois a des côtés sauvages et rudes, elle a tout de même ses charmes et, tout doucement, la mère de Peter les découvre et y prend goût. Au fil des jours, Lucille s'attache à la montagne et à la clientèle qui fréquente le Lodge et le Bear's Den transformé en cafétéria et qui sont bondés de skieurs tous plus animés les uns que les autres. Il y a incontestablement de la vie du côté nord ! En plus des jeunes travailleurs qui viennent y skier tous les week-ends, des amis de Charlie et des moniteurs de ski, il y a Joe Ryan qui, presque tous les jours, vient partager un repas ou simplement bavarder. Joe aime la compagnie de Charlie qui le lui rend bien et devient un ami et un allié important du fondateur du Mont Tremblant.

En tant que responsable des opérations sur la montagne, Charlie doit s'assurer que Le Rendez-vous, le petit restaurant tout rond qui sert d'abri au sommet de la montagne, soit approvisionné en eau tous les jours. Chaque matin, Charlie monte donc les 100 litres d'eau nécessaires pour préparer la soupe. Il attache dans un premier temps les bidons dans les télésièges qui couvrent une partie de la montagne tandis que, pour la seconde partie, il les hisse dans un grand traîneau qu'il tire derrière lui dans les « rope tows ». Il accomplit régulièrement cette tâche avec Peter qui, élevé sur des skis, a développé une habileté à se mouvoir sur ces grandes planches peu commune chez un enfant. Skier pour Peter est pratiquement aussi naturel que de marcher. Pourtant, jusqu'à l'âge de

Très tôt, Peter Duncan participe
à des compétitions.
(Collection : Lucille Duncan)

Peter, Lucille et Charlie Duncan.
(Collection : Peter Duncan)

sept ou huit ans, jamais l'idée de faire de la compétition ne l'effleure, jusqu'à ce que son père l'amène chez son oncle qui possède un poste de télévision, le premier à faire son apparition dans le village de Saint-Jovite. Il regarde alors une émission qui va changer sa vie. Peter voit dans la boîte à images un reportage sur un jeune Autrichien de 13 ans nommé Toni Sailer et qui semble prédestiné à devenir un des meilleurs skieurs au monde. Sur le chemin du retour, Peter Duncan déclare à son père : « Je veux faire de la course à ski ! » Il est décidé à surpasser ce Toni Sailer et il commencera l'entraînement dès le lendemain.

Mais si l'enfant ne doute pas de son succès, Charlie, lui, reste sceptique. Pourtant, dès le lendemain, Peter prend la première chaise avec les patrouilleurs et ferme la pente avec eux à la tombée du jour. Après plusieurs journées de ce régime, Charlie comprend que Peter est sérieux et, face à sa détermination, il décide de donner un coup de main à son fils.

Il demande à Ernie McCulloch, le directeur de l'école de ski du Mont Tremblant, de conseiller Peter, de garder un œil sur lui, ce qu'Ernie accepte tout de suite. Il faut dire que Charlie et Ernie, bien que de tempéraments complètement différents, sont de bons amis. En fait, ils s'engueulent, se réconcilient, prennent un verre et... recommencent. Dire qu'ils sont différents l'un de l'autre est un euphémisme. Ils n'ont rien en commun sauf le sang indien et l'amitié qui, on ne sait ni comment ni pourquoi, les unit malgré tout.

À partir de ce jour, Peter ne quitte plus Ernie qui devient son gourou, son second père. Toutes les fins de semaine, Peter part du Devil's River Lodge, il réveille la montagne avec son père et descend le versant sud jusqu'au chalet d'Ernie, construit à l'endroit où se trouve aujourd'hui le Château Mont Tremblant. Il s'assoit sur le balcon et attend que son mentor se lève. Il déjeune avec lui, le suit à la salle de bain, attache ses bottes comme Ernie, se mouche comme lui. Mais quand Peter atteint l'âge de dix ans, Ernie McCulloch, qui est aussi l'entraîneur de l'équipe olympique, annonce à Peter que s'il veut réussir, il doit gravir un échelon. Il ne doit plus seulement skier mais s'entraîner et, comme Peter est de petite taille pour son âge, il doit devenir plus fort. Tous les matins, il devra gravir la montagne à skis avant d'aller à l'école et, au retour, faire du slalom.

Dès lors, Peter se lève à cinq heures, s'habille chaudement et, pendant cinq ans, tous les matins d'hiver, à skis, il monte au sommet et réveille monsieur

Lavery, le chef du Rendez-vous. Puis, il prend son élan du haut de la pente et descend à toute vitesse vers le Devil's River Lodge pour déjeuner et partir pour l'école. Au retour, il fait ses devoirs, soupe et, trois soirs par semaine, il rejoint Ernie et d'autres moniteurs sur la pente. S'il peuvent skier à la nuit tombée, c'est que Charlie a installé des lampes au bas de la montagne dans une petite piste desservie par un « rope tow ».

Rapidement, Peter gagne toutes les courses auxquelles il participe : Taschereau, Adam's memorial, championnat canadien junior et toutes les courses des Laurentides. Il a tellement d'avance sur les autres compétiteurs qu'on a l'impression que les autres skieurs ne participent pas à la même course que lui. En 1960, alors qu'il n'a que 16 ans, il entre dans l'équipe nationale de ski et devient champion canadien.

Par la suite, Peter Duncan participe à de nombreuses compétitions canadiennes, américaines et internationales. Il est présent, entre autres, au Championnat du monde en 1962 à Chamonix et à Portillo en 1966. Il est membre de l'équipe canadienne olympique en 1964 et 1968 et, en 1970, il se taille une septième place aux Championnats mondiaux de Val Gardena, en Italie, et une neuvième place aux Jeux olympiques d'Innsbruck. En 1985, il est intronisé au Temple de la renommée du ski canadien et des Laurentides.

S'il n'a jamais eu l'occasion de se mesurer à Toni Sailer, ce jeune prodige autrichien, l'histoire veut que Peter et lui soient devenus copains. Il reste que ce documentaire, anodin pour certains, fut sans contredit le déclencheur de la carrière de Peter Duncan qui a laissé sa marque sur la scène internationale. Mais cela, il le doit en bonne partie à Ernie McCulloch.

1956. Peter Duncan entouré de Mary Ryan et du curé DesLauriers.
(Collection : Lucille Duncan)

Page suivante : Peter Duncan et Ernie McCulloch.
(Collection : Lucille Duncan)

16

La McCulloch

			INCLINAISON %			
NIVEAU	DÉNIVELÉ (M)	LONG. (M)	MOY.	MAX.	LARG.	SURFACE (HA)
5	330	1438	24	41	43	6,14

Ernie McCulloch, skieur légendaire et figure dominante de l'Alliance canadienne des moniteurs de ski, marque profondément l'enseignement du ski au Canada. Il est un compétiteur de calibre international et le directeur de l'école de ski du Mont Tremblant de 1954 à 1967.

Conçue pour les skieurs experts, la McCulloch convient à merveille aux virages grands rayons à haute vitesse. Plusieurs équipes nationales l'utilisent pour l'entraînement, car sa largeur et son angle de pente constant conviennent aux courses de slalom géant.

D'une longueur de 1438 mètres, la McCulloch longe la remontée TGV. Elle débute au sommet du Mont Tremblant au restaurant Le Grand Manitou et se termine à la station de la remontée TGV. En cours de descente, elle donne accès à la Fripp et à la Kandahar.

Ernie McCulloch ne skie pas, il vole!

(Collection : Tremblant)

Le tremplin qui servait aux sauteurs
de Trois-Rivières en 1930.

(Collection: Musée canadien du ski.)

Ernie McCulloch est vantard, fanfaron, hâbleur, orgueilleux, présomptueux et suffisant, mais quel skieur! Il ne skie pas, il vole! Ou bien il valse avec la neige, et le plus souvent sur un seul ski. Il est le roi de la montagne et n'a qu'un seul maître, le ski. Dans les années 1950, on le considère comme un des plus grands skieurs au monde, et *Ski Magazine* lui décerne le titre de meilleur skieur de la première moitié du XXe siècle.

Ernie McCulloch est Algonquin par sa mère, qui élève toute seule ses six enfants et qui prend malgré tout le temps de les initier à la chasse et à la pêche. Elle leur enseigne à composer avec les éléments qui les entourent, et à faire corps avec la nature, qu'importe le temps, qu'importe la saison. Elle leur transmet ce que son peuple lui a inculqué, le plus bel héritage qui soit: le bonheur de faire partie intégrante de cette nature grandiose.

Très tôt, vers l'âge de trois ans, Ernie chausse des skis et descend les côtes en ligne droite et le plus vite qu'il le peut. Mais le jour où, malgré lui, il fait un saut et passe à travers la fenêtre de la cuisine pour atterrir sur le tas de linge que sa mère vient de laver, il apprend, à ses dépens, qu'il est non seulement important de savoir virer, mais aussi que l'on peut sauter même avec une paire de skis dans les pieds et que ça, c'est exaltant! Il devient membre du club de ski de Trois-Rivières, sa ville natale, et se classe rapidement parmi les meilleurs sauteurs de la région.

Ernie est déjà dans la région de Tremblant depuis quelques années quand, en 1949, l'équipe olympique française en tournée en Amérique du Nord vient participer à la course Kandahar au Mont Tremblant. Considérés comme les meilleurs, les Français arrivent au Québec avec la certitude de rafler le trophée. Mais les Québécois, qui connaissent bien la montagne, doutent de l'efficacité du matériel français, qui consiste en des skis beaucoup plus souples que les leurs, qui sont très rigides.

La course se divise en deux catégories; d'un côté, les compétiteurs officiels de la Kandahar et de l'autre, la classe ouverte, c'est-à-dire tous ceux qui veulent participer, mais qui ne peuvent être éligibles au trophée, soit parce qu'ils gagnent leur vie avec le ski ou qu'ils ont déjà gagné des prix en argent lors de compétitions antérieures.

Sur la ligne de départ, une conversation s'engage entre deux compétiteurs. Le premier demande au second: «As-tu une idée de ce que sera le classement?»

FRENCH SKI TEAM FROM MOUNT TREMBLANT FOR 1949 CANADIAN CHAMPIONSHIPS

OREILLER PASSI de HUERTAS LECROIX PANISSET MRS SCHMIDT DR JEAN C

1948 COMBINED OLYMPIC CHAMPION

L'équipe olympique française de passage au Mont Tremblant en 1949.
(Collection: Lucille Duncan)

Le second abaisse ses lunettes sur ses yeux et répond : « Je ne peux pas te parler du deuxième ou du troisième, mais je sais qui va arriver le premier ! » Sur ce, il se lance dans la Kandahar et bat l'équipe française à plate couture. Les Français viennent de faire connaissance avec Ernie McCulloch, jusque-là un illustre inconnu. Mais puisque McCulloch est moniteur de ski et considéré comme professionnel, il ne peut recevoir le trophée, lequel échoit donc au Français Georges Panisset. Mais, apparemment, ni l'entraîneur ni Panisset ne peuvent accepter sans remords cette récompense, car, contrairement au Canada, les règlements français permettent aux moniteurs de participer aux compétitions. En conséquence, dès leur arrivée en France, ils en font faire une copie et l'envoient à McCulloch. Nul doute que cette journée-là, les Français n'ont pas eu à envier le célèbre « fair-play » légendaire des Britanniques.

Malheureusement, jamais le record d'Ernie McCulloch ne sera homologué, car jamais il ne participera aux Jeux olympiques. En 1952, le comité olympique

Ernie McCulloch (à gauche)
et son école de ski.
(Collection : Danielle Chrétien)

canadien décide de le déclasser et de lui interdire ainsi les Jeux olympiques d'Oslo. C'est que la réglementation veut que pour participer aux Olympiques, un moniteur doit cesser d'enseigner 90 jours avant les jeux. Mais Ernie ne connaît pas ce règlement et comme 80 jours avant les Olympiques il travaille encore, il est donc considéré comme un professionnel. Et c'est ainsi qu'un règlement trop sévère prive à tout jamais l'univers canadien du ski et de la compétition d'un de ses grands noms, si ce n'est d'un de ses grands champions.

Mais si on empêche McCulloch de faire sa marque dans le monde de la compétition, en revanche, il la trace au fer rouge dans le monde de l'enseignement, car en 1954, il devient le sixième directeur de l'école de ski du Mont Tremblant.

Le premier directeur, le norvégien Erling Strom, avait été employé par Joe Ryan en 1938. Mieux que quiconque, Ryan savait que l'avenir de sa station reposait sur la qualité de l'enseignement de son école de ski. Pour se classer parmi les grands, Ryan devait offrir à sa clientèle fortunée ce qu'il y avait de mieux, à commencer par une école de ski opérée par des instructeurs qualifiés. Mais la formule que Strom privilégiait quant à l'enseignement du ski était loin d'aller de pair avec le commerce. Selon sa méthode, il fallait, après deux ou trois cours, encourager l'élève à voler de ses propres ailes. Pour Strom, skier le plus souvent possible restait la meilleure école. Évidemment, ce point de vue ne concordait pas du tout avec celui du patron qui venait d'injecter des sommes colossales et qui tenait à rentabiliser son investissement. Par conséquent, avant même l'ouverture de la station, Strom est remplacé par l'Autrichien Hans Falkner du Gray Rocks Inn, lequel fuyait le régime hitlérien. Falkner ne jurait que par la technique Arlberg mise au point par l'Autrichien Hannes Schneider, devenu le grand gourou du ski aux États-Unis. La méthode comportait une approche pédagogique très structurée qui, de toute évidence, convenait mieux à la rentabilité d'une station de ski, car sa complexité technique exigeait, pour la maîtriser, plusieurs années de cours. Le débutant se retrouvait donc complètement dépendant des moniteurs qui ne lui rendaient sa liberté qu'après plusieurs sessions. Mais après quelques années, Ryan congédie Falkner pour excès d'autoritarisme. Lui succède alors l'Autrichien Beno Rebichka. Mais la trop grande beauté de Blanche, son épouse, jette de l'ombre sur la reine de Tremblant : Mary Ryan l'élimine sans autre forme de procès. Le Canadien Johnny Fripp, puis le Suisse Mario Gabriel prennent tour à tour la relève quand

De gauche à droite : John Clifford,
Yvan Taché, Yves Latreille, Émile Allais,
M. Sutherland et John Fripp.

(Collection : Tremblant)

finalement, au milieu des années 1950, arrive Ernie McCulloch. Pendant dix-sept ans, c'est lui qui occupera le poste de directeur de l'école de ski de Tremblant et c'est encore lui qui uniformisera la technique canadienne d'enseignement. Car au cours des années, Ernie étend son influence jusqu'à ce qu'elle devienne prédominante au sein même de l'Alliance des moniteurs de ski, laquelle couvre tout le Canada. Il impose sa philosophie, son approche et fait des changements radicaux qui permettent à la technique canadienne d'enseignement d'émerger. Il faut dire que jusque-là, l'enseignement est un amalgame des techniques européennes majoritairement autrichiennes. D'ailleurs, le fondement même de l'Alliance des moniteurs de ski, créée en 1938, est d'unifier l'enseignement du ski. Avec l'Alliance, on offrira dorénavant la même certification aux instructeurs de ski d'un bout à l'autre du Canada, mais l'enseignement reste un savant mélange de techniques norvégiennes, autrichiennes et

françaises jusqu'à l'arrivée d'Ernie McCulloch. Ce skieur de grand talent a un sens du ski peu commun, ce qui lui octroie l'autorité sur les autres. Car c'est lui qui mène l'enseignement du ski d'un bout à l'autre du pays et celui qui le contredit aura à vivre avec l'opprobre.

Et si Ernie n'est réputé ni pour son sens de la pédagogie ni pour son humilité, il apprend par contre à ses moniteurs que la sérénité ne peut être altérée par aucune condition climatique ; qu'il neige, qu'il vente ou qu'il pleuve, toutes les journées sont belles pour skier. Pour lui, un véritable skieur ne peut prétendre skier exclusivement les jours de beau temps. Il lègue à son entourage le bonheur de faire partie des caprices des éléments, le bonheur de skier. Il leur montre qu'aucune piste n'est ennuyeuse, car chaque petit détail devient un élément nouveau de découverte et de défi. Chaque descente se métamorphose en une feuille blanche où le skieur tout comme l'artiste peut composer à sa guise. Il rend la vie agréable et il transmet cette douceur de vivre à tous ceux qui l'entourent. Ernie McCulloch a un don, celui de l'émerveillement, et il sait le communiquer.

Apôtre du ski, McCulloch l'aborde comme une science. Il incite ses moniteurs à jouer au chat et à la souris avec lui, exigeant qu'ils imitent ses moindres gestes. Il skie sur une seule planche, d'abord sur la carre interne puis sur la carre externe, il multiplie les mouvements qui obligent ses moniteurs à tester leur équilibre et à comprendre comment se comportent leurs skis et leur carres. Il leur apprend l'art du fartage et s'impose même, sans toutefois l'exiger des autres, de faire tremper ses bottes de ski dans la baignoire et de les laisser sécher en les portant afin qu'elles se moulent parfaitement à son pied.

Son talent indéniable, la recherche constante dans le développement de nouvelles techniques et l'excellence exigée autant des instructeurs que du patron sont autant d'ingrédients qui font de l'école de ski une école de réputation nationale et internationale. On vient de partout dans le monde pour y prendre des cours ou y enseigner. Mais il a beau être le plus grand skieur, et le proclamer partout, il y a pourtant un détail qui échappe à la suprématie du maître, à sa grande honte, et depuis des années : il n'arrive pas à enseigner à Janet, sa femme. Ainsi, tous les moniteurs de l'école de ski sont pressentis pour enseigner à Janet et tenter d'en faire une grande skieuse, mission qui s'avère impossible, au grand dam d'Ernie.

Ernie McCulloch est le chef de file de l'enseignement du ski d'un bout à l'autre du pays. Celui qui le contredit aura à vivre avec l'opprobre!

(Collection: Tremblant)

Page de gauche: Chaque descente est une feuille blanche ou le skieur, tout comme l'artiste, peut composer à sa guise.

(Collection: Tremblant)

Puis, en 1967, Ernie quitte Tremblant pour s'installer à Blue Mountain en Ontario, où on lui fait un pont d'or pour l'attirer. Après lui, les autres directeurs de l'école reprennent le flambeau. Mais remplacer Ernie McCulloch s'avère une tâche difficile et parfois même impossible, car l'ascendant d'Ernie reste grand et ses successeurs, Georges Vigeant, Conrad Guay, Neal Vinet et Michel Beaulieu, doivent vivre avec son fantôme, toujours présent.

Jusqu'à la fin de sa vie, Ernie a défendu son titre de meilleur skieur. Même atteint du cancer des os, il continue de skier comme un oiseau en vol. Il continue de chanter et d'aimer passionnément la montagne et la nature.

L'héritage qu'il a laissé est considérable. Il a été le premier à donner à l'école du Mont Tremblant une réputation internationale, laquelle ne s'est pas démentie depuis. Mais il a aussi formé des jeunes compétiteurs dont le champion Peter Duncan et Lucile Wheeler, qui deviendra championne olympique.

La Charron
La DeSerres
La Beauchemin

Le groupe formé d'André Charron, Louis Lévesque, Roger Beauchemin et Roger DeSerres prend la relève de Mary Ryan en 1965.
La Charron, piste pour intermédiaires du côté sud de la montagne et mesure environ 1km. Cette piste assure le lien entre le haut de la Ryan et de la télécabine TGV.
La DeSerres, piste pour intermédiaires du côté sud de la montagne mesure 1334 mètres. Elle longe la télécabine Tremblant Express dans sa partie inférieure et fait le lien entre la Kandahar et la Johannsen.
La Beauchemin piste pour intermédiaires dans sa partie supérieure et, piste pour débutants dans la partie du bas. Du sommet White Peak, elle aboutit à la remontée Expo du côté nord.

L A STATION Mont Tremblant est à vendre ! Depuis la mort tragique de Joe, Mary Rutherford Ryan a tout fait pour rester dans les traces de son mari et continuer de développer la station, mais, en 1965, la compagnie est à bout de souffle et Mary se sent dépassée par les événements.

Le fisc la presse de faire les paiements dus par la succession, la clientèle réclame des améliorations, les quelques canons à neige ne suffisent plus, les chambres ont un besoin urgent d'être rénovées, comme tout le reste d'ailleurs,

(Collection : Tremblant)

Le Chalet des voyageurs
dans les années 1950.
(Collection: Tremblant)

Page de droite: Le groupe Charron,
Lévesque, Beauchemin et DeSerres
apporte plusieurs améliorations.
Ils rénovent les hôtels et élargissent
les pistes.
(Collection: Tremblant)

les balcons, les toits, la peinture des 95 bâtiments comprenant les petits chalets, tout est négligé, vétuste. Il faudrait, pour tout remettre en état, insuffler un grand investissement et Mary est incapable de trouver l'argent nécessaire pour remettre à flot la station autrefois si belle. De plus, une douleur plus grande que tous les problèmes d'argent du monde hante ses pensées, son fils Peter, pilote de course, est mort au Mans en 1962.

Aux prises avec tant de peines et de problèmes, Mary décide de vendre. Mais une sollicitation à travers le pays ne suscite aucun engouement parmi les acheteurs canadiens potentiels. Par contre, un jour, un groupe d'investisseurs américains dépose une offre d'achat des plus sérieuses. Alors que tous s'attendent à ce qu'elle accepte, la propriétaire de la station refuse d'aller de l'avant. C'est que, dans la bonne tradition des Ryan, Mary ne transige pas avec tout le monde et elle craint qu'en cédant Tremblant à ce groupe, l'avenir de la station ne soit mis en péril et que les actifs qu'elle a si chèrement mis en place avec Joe soient dilapidés.

Elle confie son trouble à André Charron, un homme d'affaires, un ami et un amoureux de Tremblant et l'incite carrément à lui faire une offre. André Charron est pour le moins étonné. Ce n'est pas tous les jours qu'on se fait proposer d'acheter une montagne. Il a besoin de temps pour réfléchir. Mais Mary le presse. S'il ne s'engage pas, il ne lui laissera d'autre choix que de transiger avec le groupe américain. Charron s'engage donc à faire une offre à Mary Ryan pour l'achat des actifs de sa société et de la lui soumettre lors de la fin de semaine de la Fête du travail, mais sans engagement ferme d'achat. Le temps leur est compté. André Charron intéresse au projet Roger Beauchemin, un ingénieur-conseil dans le domaine des transports, et lui demande d'évaluer la mécanique et les bâtiments pendant que de son côté il analyse la question opérationnelle de l'entreprise et les perspectives d'avenir. Louis Lévesque, associé de Charron dans l'entreprise Lévesque Beaubien, vient augmenter les effectifs du groupe. Les trois hommes sont jeunes, sportifs et dynamiques. Ils possèdent des résidences près de la montagne, la fréquentent et l'aiment depuis déjà longtemps.

Au bout de trois ou quatre semaines, ils sont prêts à faire une proposition d'achat, mais trop occupés par leur affaires, aucun d'entre eux ne peut gérer la station au quotidien. Ils pressentent donc, pour cette lourde responsabilité, Stanley Ferguson qui a quitté Tremblant en 1944. Depuis toutes ces années, Stanley est devenu un des meilleurs gérants hôteliers au Canada et il travaille

De gauche à droite: M. DeSerres,
M. Charron, M. Beauchemin, le père
DesLauriers et Ernie McCulloch.

(Collection: Tremblant)

en ce moment à l'hôtel Queen's de Montréal, sur lequel il s'apprête d'ailleurs à déposer une offre d'achat.

Après plusieurs semaines de négociations, Stanley accepte de devenir le directeur des opérations et vice-président de la station de ski Mont Tremblant. Les futurs acheteurs dépêchent Ferguson à la station de ski pour qu'il évalue l'état des lieux. Le bilan est plus que désastreux et, selon Stanley, l'offre d'achat devra tenir compte des investissements considérables requis pour la remise en état de la station. Avant la négociation finale, Stanley, qui connaît bien Mary Ryan, prévient avec humour les trois associés que s'ils voient le menton de Mary devenir carré, ils sont mieux de penser à changer de sujet, mais si elle enlève ses lunettes, alors là, il faut parler d'autre chose dans la seconde qui suit!

Mary refuse la première offre qu'elle considère beaucoup trop basse. Mais André Charron suggère de tenir bon, il croit bien que la transaction se fera et en effet, au bout de quelque temps, ils en arrivent à une entente. Le 7 décembre 1965 le groupe Charron, Beauchemin, Lévesque devient propriétaire du Mont Tremblant. Peu de temps après la vente de la station, Mary quitte le Québec et retourne en Virginie pour se rapprocher de sa fille Seddon. Elle se remarie aux États-Unis et ne reviendra au Mont Tremblant que deux fois. La deuxième fois, ce sera pour s'étendre aux côtés de Joe et Peter, dans le petit cimetière attenant à la chapelle qu'elle et Joe ont fait construire.

Les trois hommes ont beaucoup à faire et à investir pour rajeunir la montagne et ne jouissent d'aucune aide gouvernementale. Il faut donc vendre des terrains, ce qui leur permet d'effectuer de grands travaux comme monter les chaises jusqu'au sommet, rénover hôtels et chalets et élargir les pistes. En effet, depuis plusieurs années, la mentalité des skieurs a changé: les pistes étroites et sinueuses, qui autrefois faisaient le charme de Tremblant, sont maintenant trop étroites et trop sinueuses pour la clientèle qui augmente sans cesse. Mais quand les nouveaux propriétaires aperçoivent certains skieurs ou skieuses terrifiés à mi-pente et incapables d'envisager de se rendre au bas de la montagne, ils sentent l'urgence de redessiner les pistes.

Et pendant tout ce temps, Stanley Ferguson garde le fort et sait amener une clientèle de choix. Ainsi, le Mont Tremblant reçoit à différentes occasions des personnalités telles que le prince Bernard, Jacqueline Kennedy, Bob Kennedy et son épouse Ethel, qui se rencontrent d'ailleurs à Tremblant, Henry Ford,

Mniarkos, le président du Ghana, le premier ministre du Canada et la princesse de Hollande. Mais si ces personnages importants séjournent occasionnellement à Tremblant, les nouveaux propriétaires préfèrent teinter la montagne d'un caractère familial. Ainsi, le groupe Charron veut donner une chance aux jeunes et met toutes les facilités à leur disposition quand ces derniers le leur demandent.

À compter de 1970, le groupe invite monsieur DeSerres à se joindre à eux. Désormais, ils sont quatre. Le groupe, aidé de Stanley Ferguson, a réussi à redresser la situation et à redonner vie à la montagne. La station fonctionne bien et accueille de plus en plus de skieurs. Mais cette prospérité apparente cache un problème au niveau du développement, car la clientèle, si elle est fidèle, est aussi exigeante et demande des installations toujours plus modernes et des améliorations constantes à des coûts énormes que même la vente des terrains restants ne saurait absorber. Le groupe sollicite donc des octrois, mais sans succès, et pour entreprendre une nouvelle étape de développement de la montagne, il leur faudrait des sommes considérables. Ils prennent donc la décision de vendre. C'est la Fédération des Caisses d'entraide qui, en 1979, achète une station moderne et en bon état mais qui a besoin de nouvelles remontées mécaniques et d'étendre le réseau de pistes enneigées artificiellement.

Peu de temps après l'acquisition du Mont Tremblant, la Fédération connaît à son tour de graves difficultés et le gouvernement du Québec doit mettre sur pied une commission pour prendre en main l'administration de la station. Mais en 1991, lorsque Intrawest décide d'acheter la station, celle-ci est en faillite.

Jackie Kennedy et ses enfants.
Plusieurs personnalités de marque fréquentent le Mont Tremblant.
(Collection : Tremblant)

STANLEY FERGUSON

Stanley Ferguson au Mont Tremblant.
(Collection : Stanley Ferguson)

Stanley Ferguson, sous son air sage et raisonnable, a tout vu et a tout fait. Il est une des seules personnes à avoir connu ou côtoyé la majorité des gens dont il est question dans ce livre.

Stanley Ferguson naît à Sainte-Agathe, de parents écossais. Les Québécois francophones qui ont de la difficulté avec la langue anglaise les appellent sans malice la framille « Fracassonne » et Stanley devra endurer pendant des années de s'entendre appeler Stagneglé.

Stanley est élevé pauvrement et surtout sévèrement, telle que l'exige la mentalité rigide de cette époque. Comme très tôt il doit rapporter des sous à la maison, il distribue les journaux. L'hiver, il accomplit son travail en glissant sur des lattes de tonneaux de chêne qui lui servent de skis, et en guise de canne, il utilise un vieux manche à balai. Pour ce qui est des bottes, il chausse des claques et sept paires de chaussettes. Mais la tournée des journaux n'est pas des plus lucratives et comme tous les enfants, Stanley est toujours prêt à faire quelques sous de plus. Un jour, Dieu seul sait pourquoi, la famille Clark lui offre de lui donner 25 ¢ s'il arrive à sauter à skis le tremplin situé en face de l'Alpine Inn. Pour Stan, ces quelques sous représentent une fortune et il accepte, complètement inconscient qu'il peut y laisser sa vie sinon quelques membres. Il s'exécute donc et, chanceux dans sa malchance, ne casse que ses skis. La famille Clark, rongée par le remords, ne lui remet pas seulement les 25 ¢ promis mais 25 ¢ par membre de sa famille. Il rentre chez lui tout fier de brandir l'argent mais, loin d'être célébré pour son exploit, ses parents lui donnent une bonne fessée pour avoir fait pareille folie et pour avoir cassé ses skis.

Le lendemain, un riche Américain qui avait assisté à la scène du tremplin rencontre Stanley et, devant la mine défaite de l'enfant, il craque et lui achète généreusement de nouveaux skis et bottes. Stan est aux anges. Il n'en revient pas. Il glisse sur des vrais skis de marque Chalet. Il rentre chez lui en volant sur ses skis gris, heureux d'avoir une bonne nouvelle à annoncer à ses parents, mais ceux-ci, croyant qu'il les a volés, lui infligent une autre râclée et le punissent jusqu'à ce que, honteux, ils apprennent la vérité.

Quelques années plus tard, Stanley décide d'essayer l'invention de Moïse Paquette : l'aéroski. Il s'accroche donc avec d'autres skieurs derrière l'avion aux ailes coupées et se fait traîner à toute vitesse pendant de longues minutes sur

Stanley Ferguson, grand amoureux
de Tremblant et du ski.

(Collection: Stanley Ferguson)

le lac des Sables. Rapidement transformé en bonhomme de neige, cette expérience le marque pour le reste de sa vie.

Devenu un jeune skieur fort habile, Stanley aide Jackrabbit à baliser les sentiers de la Maple Leaf jusqu'à Sainte-Adèle. Avec le temps, Stanley commence à développer le sens des affaires; il fonde, avec Harrison et Wheeler, la Laurentian Winter Roads Association dont il devient vice-président, secrétaire et trésorier. Cette entreprise sera responsable de l'entretien de la route 11 en hiver, de Saint-Jérôme à Mont-Tremblant. Cette route était jusque-là fermée aux automobilistes à la saison froide. Mais pour ce faire, il faut une charrue et les trois associés n'en ont pas. Stanley Ferguson, qui connaît bien le patron de l'hôtel Laurentide Inn, fait endosser un billet par cette entreprise qui n'a pas un sou. Puis les associés saoulent le gérant de banque et lui font signer un prêt. Le lendemain matin, le gérant, dessaoulé, veut les étriper, mais trop tard. Ce qui est fait est fait et la Laurentian Winter Roads Association devient propriétaire d'une charrue qu'elle baptise Hector en l'honneur d'un député. Dorénavant, ils obtiennent les contrats du gouvernement qui les paie pour ouvrir la route à raison de 50 $ du mille. C'est ainsi que Stanley fait la connaissance de Joe Ryan qui se cherche un nouveau gérant. Stanley est impressionné par Ryan. C'est un homme joyeux et élégant. Il porte un manteau de cachemire avec colet de velours et un «Kavanaugh», le chapeau des puissants.

Après plusieurs négociations et rebondissements, Stanley entre au service de Joe Ryan. C'est ainsi qu'il apprend que Ryan paie au noir plusieurs de ses employés qui entretiennent les pistes sur la montagne. Mais pour se donner bonne conscience, Ryan ne leur donne jamais l'argent directement. Il escalade la montagne, cache une enveloppe derrière un arbre et prévient le contremaître. Au moment opportun, le contremaître va chercher l'enveloppe et distribue l'argent aux «bénévoles». Tous déclarent que ce sont «les flocons qui ont payé les hommes».

En 1944, Stanley quitte le Mont Tremblant. Il est le seul gérant à ne pas avoir été congédié. Par la suite, il réussit à se tailler une place enviable dans le domaine de l'hôtellerie. On dit de lui qu'il est le meilleur directeur hôtelier au pays.

En 1965, André Charron, un des nouveaux propriétaires de Tremblant, le persuade de revenir. Ferguson dirigera la station Tremblant pendant presque 15 ans.

 18

Sur la piste d'Intrawest

L E 23 MARS 1991, 11 membres de la prestigieuse firme immobilière Intrawest arrivent en délégation au Mont Tremblant. Ils travaillent au marketing, aux opérations, à l'immobilier, aux ressources humaines. Ils sont représentants de tous les secteurs vitaux nécessaires au développement d'une station de ski. Leur mission est d'évaluer le potentiel de la station et de voir si le style de gestion d'Intrawest peut être appliqué dans le cadre particulier du Québec.

À la fin de leur séjour, les délégués sont unanimes. Tremblant est un site naturel exceptionnel, une montagne splendide et le lac est magnifique. Ils conviennent donc d'acquérir la station. Un des représentants de la délégation, Roger McCarthy, alors responsable des ressources humaines à Blackcomb en Colombie-Britannique, tombe sous le charme. Dès le départ, il pressent le potentiel de cette station. Il demande donc à son patron de prendre en charge ce projet pour Intrawest. Celui-ci donne son accord.

La montagne est dans un état lamentable et demande, pour la remettre en état, un investissement de plusieurs millions de dollars. Mais s'ils veulent être en mesure de l'opérer dès la saison 1991-1992, ils doivent dès maintenant commencer les travaux, car il est primordial d'exciter la curiosité des gens le plus tôt possible s'ils veulent que ceux-ci se préparent à revenir à Tremblant.

139

Le rêve de Joe Ryan se poursuit.

(Collection : Tremblant)

Le nouveau décor de Tremblant
signé Intrawest.

(Collection: Tremblant)

Pour des raisons qui relèvent de nécessités financières, Intrawest est dans l'obligation de conclure l'achat de Mont Tremblant avant minuit le 1er septembre 1991. Réunis dans les bureaux des avocats à Montréal, la négociation va bon train jusqu'à 22 h lorsque soudain, les trois représentants d'Intrawest, Dan Jarvis, Gary Raymond et Roger McCarthy voient tous leurs efforts s'effondrer. L'écart entre les parties devient de plus en plus grand et il est clair qu'il ne pourra être comblé avant l'heure dite. L'achat n'aura pas lieu. Les trois hommes d'Intrawest sortent prendre l'air, histoire de mettre de l'ordre dans leurs idées. Roger McCarthy retient son souffle. Il est vital que cette entente soit signée et le désir d'acquérir la montagne n'est pas le seul enjeu. C'est que Roger, certain de conclure cette entente, a entrepris des travaux sur la montagne avant même l'achat de la station et il risque gros si la transaction n'a pas lieu. Avec la permission du gouvernement du Québec, propriétaire des terrains sur la montagne, il a entrepris la construction de la Duncan Express, une puissante remontée mécanique du côté nord de la montagne. Mais pour obtenir cette permission, Roger a dû convenir avec le ministère concerné que si pour une raison ou une autre la vente de la montagne n'avait pas lieu, il s'engageait personnellement à remettre les terrains dans leur état original avec arbres, forêt et tout. Et le pire dans tout ça, c'est qu'à peine quelques jours avant l'entente, il a fait couler le ciment sur les fondations des nombreux pylônes qui jalonnent le parcours de la remontée.

Ils reviennent donc à la table de négociations bien décidés à la mener à terme. Un renversement de situation de dernière minute et une bonne stratégie permettent de conclure le marché. Peu avant minuit, les parties en présence entreprennent la signature des documents légaux. La session de signatures s'étend sur deux journées à la fin desquelles les nouveaux propriétaires peuvent célébrer leur victoire.

Le Grand Manitou offre une vue spectaculaire sur le lac Tremblant.
(Collection : Tremblant)

Le village piétonnier au pied de la montagne.
(Collection : Tremblant)

Le lendemain, Roger arrive à Tremblant avec un sac plein d'argent, la monnaie pour le terrain de golf et la plage. Le Mont Tremblant fait à nouveau des affaires et entreprend une nouvelle aire de prospérité. Mais la station est en faillite, il n'y a pas d'électricité, elle semble figée depuis qu'elle a cessé d'opérer. Roger veut tourner la page et reprendre les activités. Il remet la station en marche et entreprend une série de travaux. Il continue la remontée Duncan Express et donne l'ordre de construire la nouvelle piste nommée la Géant en référence au Mont Tremblant qu'il voit comme un géant qui se réveille.

Ils avancent très vite et font une grande publicité. Il faut frapper un grand coup et faire revenir une clientèle qui a déserté Tremblant depuis plusieurs années. Tout comme Charron, Beauchemin, Lévesque et DeSerres l'avaient fait avant lui, ils repeignent chaque édifice, bouchent les trous dans les planchers et dans les murs, refont les chambres du Lodge et des chalets et rénovent les salles de bains. La station doit pouvoir accueillir la clientèle dès la prochaine saison.

Roger travaille en étroite relation avec ses équipes de direction et ses employés. Mais un gouffre le sépare d'eux: la langue. Roger ne parle pas français. Il fait donc venir un professeur de français deux matinées par semaine et il s'oblige à parler français avec tout le monde. Il apprend un mot et s'en fait

enseigner un autre jusqu'à ce que, à la mi-novembre, il arrive enfin à vraiment pouvoir communiquer avec son entourage.

David Greenfield nommé vice-président immobilier, et Michel Aubin, vice-président finances, se joignent à l'équipe en 1991. Avec Roger McCarthy, ils développent rapidement une vision commune de Tremblant et à leur tour investissent énergie et passion sans compter les heures. Car si la station a été remise en opération, le rôle d'Intrawest ne s'arrête pas là.

En décembre de 1991, Roger et David, en compagnie d'Eldon Beck, lequel a élaboré la conception du village, Marc Perrault et Hugh Smythe, deux autres personnes clés, entreprennent une folle tournée des plus belles stations de ski et villages en Amérique et en Europe. Ils sont à la recherche des éléments les plus réussis dans la conception de stations, comme Mégève où ils relèvent les dimensions exactes du Square qu'ils reproduiront à la place St-Bernard. Ils se rendent dans le Vieux-Québec, examinent à fond la rue du Petit-Champlain, l'angle des rues et les devantures des magasins. Ils visitent 16 stations touristiques, villages et montagnes dans cinq pays et en neuf jours. À chaque endroit, ils scrutent à la loupe l'architecture des maisons et des immeubles et étudient la possibilité de s'en inspirer pour la station de Tremblant.

Dès lors, tout tombe en place. Ils élaborent un plan directeur autour duquel le concept du village va s'articuler, et jamais ils n'en dérogeront. Déjà, vers la fin de 1991, le village prend forme dans la tête et dans l'imagination de Roger McCarthy, David Greenfield et Eldon Beck.

Désormais, les visiteurs entreront dans un village d'une autre époque, et ils auront l'impression qu'il a évolué de lui-même au fil des siècles et des différentes périodes. Chaque édifice, chaque toit, chaque devanture de maison aura sa propre histoire, comme hors du temps. Chaque nouvelle construction s'inspirera autant de la tradition campagnarde québécoise que de l'architecture montagnarde contemporaine. La signalisation, la couleur des maisons, les rues piétonnières, les allées, les trottoirs, les décorations, les boutiques, les artisans, les commerces le long des allées étroites; chacun aura sa propre histoire, le tout intégré dans un décor montagnard exceptionnel. Un projet d'une telle envergure nécessite des sommes d'argent importantes et un partenariat très étroit entre le secteur public et privé. On pense alors au gouvernement provincial, fédéral, municipal et aux divers organismes régionaux. Michel Aubin prend cette

La place St-Bernard vit au rythme de ses nombreux festivals.
(Collection: Tremblant)

(Collection: Tremblant)

Page précédente: À Tremblant, les promeneurs se retrouvent plongés dans l'atmosphère chaleureuse du Vieux-Québec.

(Collection: Tremblant)

responsabilité. La participation et l'implication immédiate des gouvernements, des associations et du milieu ont été déterminantes.

Sur la rive est du lac Tremblant, le village s'accrochera à la montagne en trois étages successifs. D'abord quelques bâtiments épars: la chapelle St-Bernard construite par Joe et Mary Ryan selon les plans d'une des premières chapelles au pays, les Cèdres et le Chalet des voyageurs qui accueilleront les visiteurs. Puis, rapidement, l'œil sera attiré par deux grands bâtiments qui émergeront des arbres. L'un, le Kandahar, sera construit selon les lignes plus austères d'un séminaire du XVIIe siècle et portera le nom de la plus ancienne compétition annuelle de ski au Canada, l'autre, le Manoir Labelle (le Marriott), sera construit selon les lignes d'un ancien manoir du XVIIIe siècle. Derrière ces deux bâtiments, le Vieux Tremblant rappellera les origines du village; la taille modeste

Chaque jour de l'année il y a une fête ou une célébration.

(Collection: Tremblant)

et l'architecture des maisons d'un ou deux étages nous remémorera la population ouvrière. Mais plus encore, résidant à proximité du lac Miroir, le Vieux Tremblant, créé de toutes pièces avec les bâtiments originaux de Joe Ryan, rappellera l'ambiance agréable des artisans avec ses rues étroites, ses petites places publiques, sa brasserie, ses cafés et ses restos. Le Vieux Tremblant sera le cœur et l'âme du village, brûlant d'énergie et aménagé pour recevoir toute la famille.

Au-dessus des toits du Vieux Tremblant, s'élèveront les murs et les toitures plus imposants et colorés des édifices d'inspiration Empire. Ils grimperont en étage vers la place St-Bernard et l'entoureront. Ce troisième niveau de la station nous plongera dans l'histoire de la bourgeoisie locale, laquelle sera regroupée dans les bâtisses Johannsen, St-Bernard et DesLauriers. On y verra une foule de fiers petits commerçants attentifs et minutieux : le charcutier, le brasseur, le restaurateur, le boulanger, le pâtissier, les magasins de sport, les galeries d'art, la librairie, le rôtisseur, l'antiquaire qui tous ensemble respireront l'ambiance de la « French provincial atmosphere », ce style si particulier à Tremblant. Ils feront du centre de villégiature Tremblant un endroit coquet qui respire la joie de vivre et la prospérité.

Finalement, trônant tout au haut du village, on érigera le Château Mont Tremblant où on imaginerait sans peine le seigneur étendant son règne sur son peuple tout en bas. Un énorme hôtel de 300 chambres qui sera nanti d'une grande salle de bal qui offrira une vue exceptionnelle sur toute l'étendue de la vallée.

Sur les pentes et les forêts environnantes, des groupes d'habitations, sortes d'extensions du village, compléteront le tout.

Chaque jour de l'année aura ses activités, ses fêtes et ses célébrations. Ce sera un feu roulant d'événements : festival de la musique, festival du vin, festival du blues, symphonie des couleurs à l'automne, expositions, championnats sportifs de vélo, de ski, de planche à neige et de golf.

Sur la montagne, la qualité du ski n'aura son égal nulle part ailleurs dans l'est de l'Amérique. On y retrouvera les meilleurs aménagements pour la neige artificielle, les meilleurs appareils d'entretien et la meilleure conception de pistes.

Le rêve est complet, tout y est. Ne reste qu'à le faire. Une pensée préside toutes leurs démarches : s'ils veulent devenir une étoile sur la scène mondiale, il

Le cabriolet, un concept unique au monde.
(Collection: Tremblant)

Château Mont-Tremblant et Complexe
place St-Bernard.

(Collection: Tremblant)

faut éviter d'avancer par petits bonds. Ils doivent penser grand, faire leur marque et créer un impact. La force de cet impact sera en relation directe avec l'ampleur de leurs réalisations. Pour tenir cet ensemble en un tout cohérent et bien aligné, Carole Bream se joint à l'équipe avec le mandat de créer l'Association de Villégiature de Tremblant. Une première au Québec!

Au cours de l'année 1992, ils travaillent avec acharnement sur le design et la planification. Puis, en 1993, ils amorcent les travaux. À partir de ce jour, les chantiers poussent comme des champignons. Ils relocalisent le petit village existant pour faire place aux nouvelles constructions. L'argent sort à coup de trois à quatre millions par semaine. Ils installent 50 kilomètres de tuyaux pour la fabrication de la neige. Ils déplacent ou éliminent les remontées et construisent de nouvelles pistes ainsi que le Grand Manitou au sommet de la montagne. Ils construisent deux nouvelles remontées quadruples, la TGV et l'Expo. Ils ouvrent des pistes, construisent restaurants, garages et salle de pompage à la mi-montagne. Ils déménagent le Chalet des voyageurs au bas de la montagne. La coordination entre les groupes de Roger, David, Michel et Carole est remarquable, par contre la gestion de tous ces projets amène des crises hebdomadaires de l'ordre des 100 000$. Mais leur rêve de construire une station dotée d'un village complet et autonome l'emporte sur les difficultés financières, exactement comme l'avait pensé Joe Ryan à la fin des années 1930.

Si, au cours de l'hiver 1993, la montagne est sens dessus dessous, en 1994, l'équipe voit son rêve prendre forme et le public répondre à l'appel. Les dirigeants d'Intrawest constatent avec joie qu'ils ont misé juste. La vision de Roger et David, Michel et Carole qu'ils ont endossée sans restriction, est la bonne. La réputation de Tremblant s'étend rapidement, les prix s'accumulent et la réputation de la montagne dépasse les frontières.

Une dernière chose reste à solutionner. Un village, tout piétonnier qu'il soit, a besoin d'un moyen de transport et, dans le cas de Tremblant, il s'agit d'amener rapidement les milliers de skieurs et le public en général en haut du village sans qu'ils aient à monter à pied. Roger McCarthy pourrait opter pour le télésiège, mais s'il est facilement accepté par les skieurs, ce moyen de transport n'est pas nécessairement adapté au grand public.

Une remontée, ouverte de tous les côtés, soulèvera les visiteurs au-dessus du village, d'où ils pourront admirer à souhait le lac, le village et le paysage. C'est

Le champion olympique Jean-Luc Brassard, lors du championnat canadien de ski acrobatique au Mont Tremblant en 1995.
(Collection: Tremblant)

La planche à neige.
(Collection: Tremblant)

unique au monde. Comme tout ce qui s'est construit depuis le début, Roger tient à donner à cette invention un nom en harmonie avec le village. Il l'appellera cabriolet, mot qui fait référence aux petites voitures d'antan tirées par des chevaux. C'est le manufacturier autrichien Dopelmayer qui est chargé de la construction.

Aujourd'hui des télécabines, rendent le sommet de Tremblant accessible à toute une catégorie de gens qui ont peur d'y monter en télésiège. Après tout, regarder les Laurentides du haut du Mont Tremblant n'est-il pas une expérience unique? Et en cela, n'est-ce pas le souhait de Joe Ryan qui se réalise?

Tout comme Roger McCarthy et Intrawest, Michel Aubin, aujourd'hui président de la station Mont Tremblant, demeure soucieux de maintenir vivante la vision originale qui a présidé l'ouverture de la station et de rester fidèle à son histoire, tout en lui faisant faire un pas en avant.

19

Le Parc du Mont-Tremblant

J OE RYAN a arrangé les choses, tel qu'il se l'était promis, et son «I think I'll fix that» désormais célèbre, prononcé en février 1938, est une promesse tenue. Si le récit du soixantième anniversaire de la station Mont Tremblant se termine au sommet de la montagne, l'histoire se prolonge dans cette immense nature vierge qui s'étend à perte de vue au pied du versant nord, et qui est comme figée depuis la nuit des temps : c'est le Parc du Mont-Tremblant, qui couvre la totalité de l'horizon nord.

Pour les autochtones, les premiers habitants de cet immense territoire, la terre appartient à nos enfants et, comme elle nous est prêtée pendant notre séjour sur la terre, il faut la leur rendre en meilleur état que celui dans lequel nous l'avons reçue. C'est ainsi que ce peuple conçoit le respect de la nature et de la vie ; leur concept d'héritage découle de cette façon de voir les choses. Un parc national ou provincial est le gardien de cet héritage et le Parc du Mont-Tremblant a pour mission de préserver pour les générations à venir l'un des plus beaux coins des Laurentides méridionales, un peu comme si l'histoire s'y écrivait en regardant par devant et que la survie du parc était reliée à notre propre survie.

La nature vierge s'étend à perte de vue.
(Collection : Parc du Mont-Tremblant)

L'ours noir a inspiré de nombreux contes et légendes autochtones.
(Collection : Parc du Mont-Tremblant)

L'escalade dans le Parc.
(Photo : Daniel Lévesque)

Désormais, le Parc du Mont-Tremblant ne changera qu'au rythme que lui dicteront la nature et les ans. C'est un espace hors du temps, hors des époques, que ni les modes ni les habitudes d'une société ne pourront altérer. Ce parc est un monument offert par l'homme à la nature pour célébrer sa grandeur et sa beauté. Car si les rivières donnent de l'eau, les animaux de la viande et de la fourrure, et le bois de la chaleur et des matériaux pour ériger les charpentes, ne voir que cela est peut-être négliger ce que la nature apporte d'encore plus essentiel à notre survie.

Un parc représente la nature humaine dans ce qu'elle a de plus profond. Sans doute est-il difficile de concevoir, dans notre siècle, l'importance de la réflexion, de la littérature, de la poésie et de ce qu'elles peuvent apporter à une société empreinte de performance, de réussite et de succès. Alors comment ce parc, ou tout autre parc, par le fait même, peut-il être utile à quelqu'un qui veut devenir ingénieur, informaticien ou médecin ? Pourquoi préserver un parc au Mont Tremblant quand une grande partie de la population rêve de culture, de voyages, d'exotisme ou d'aventure, quand ce n'est pas carrément de plage et de soleil ?

Un parc est important à préserver précisément parce que nous sommes des êtres humains, parce que nous sommes dotés de la vie, mais surtout parce que nous sommes dotés d'un esprit et que cet esprit a besoin, pour que nous puissions jouir de la vie, de poésie, de nature vierge, d'animaux sauvages, de lacs et de rivières, de paix et de tranquillité. Un parc est un monument érigé par la nature à la grandeur de l'esprit humain. Ne pas reconnaître l'importance d'un parc, c'est nier le fondement même de la nature humaine et de la vie, c'est rejeter l'harmonie, l'équilibre, la paix et la tranquillité comme étant non productifs et c'est, un jour, s'attaquer à la liberté des hommes et des femmes. La nature indomptée, tout comme la musique, la peinture, la poésie et la littérature, est une nourriture essentielle à l'esprit pour le maintenir en vie.

N'arrive-t-il pas, parfois, qu'entourée de nature, une expérience banale se transforme soudain en une montagne de paix, de calme, d'abandon et de confiance en la vie ? Un moment parfait, où la douceur des choses ne peut être surpassée ? Une poussière de temps qu'aucune invention de l'homme ou de la femme ne peut égaler ? Ce sont des instants sacrés, qui se produisent au hasard et qui semblent nous mettre en contact avec la vie dans ce qu'elle a de plus gracieux et dont la seule ressemblance, d'une fois à l'autre, est notre incapacité

La préservation est la grande priorité du Parc du Mont-Tremblant. « La terre nous est prêtée et nous devons la rendre à nos enfants en meilleur état. »
(Photo : Pierre Gougoux)

(Collection : Parc du Mont-Tremblant)

à les décrire ou à les reproduire, ce qui va de pair avec notre bonheur de les saisir au gré de leur apparition. Et c'est en cela que la nature, la montagne et, en conséquence, un parc nous sont vitaux. Parce qu'entre deux grandes villes, un parc est un endroit privilégié et qu'au travers de la nature, nous célébrons la vie dans ce qu'elle a d'intemporel, d'universel, de ressourçant et de merveilleux.

Dans le Parc du Mont-Tremblant, l'histoire de notre avenir à tous reste à écrire.

Le Parc du Mont-Tremblant voit le jour en juillet 1894 sous l'appellation de Parc de la Montagne Tremblante. Curieusement, il est créé pour répondre à la demande d'octroi de terrains du docteur Camille Laviolette, qui veut construire un sanatorium sur le Mont Tremblant afin de traiter les nombreux cas de tuberculose qui sévissent alors au Québec.

Paysage d'automne.
(Photo: Daniel Lévesque)

Renards.
(Collection: Parc du Mont-Tremblant)

Paysage d'automne.
Photo: Daniel Lévesque)

Ayant étudié en Europe, le docteur Laviolette a été à même de constater les résultats obtenus par les établissements de santé qui traitent la tuberculose dans les Alpes. Le docteur estime que le Mont Tremblant convient pour son projet de sanatorium et il entend s'y établir dès que l'État aura consenti à lui octroyer les lots suffisants sur la montagne et dès qu'il aura amassé les fonds nécessaires pour procéder.

La loi sanctionnant la création du Parc est adoptée en janvier 1895, mais le projet de sanatorium ne se concrétisera jamais, faute de pouvoir amasser les fonds nécessaires à sa construction.

Au départ, la création du Parc de la Montagne Tremblante sert plutôt les intérêts de ceux qui exploitent la forêt, ainsi que ceux des chasseurs et des pêcheurs. Ce n'est que beaucoup plus tard qu'on a compris la nécessité de rendre

Harfang des neiges.
(Collection : Parc du Mont-Tremblant)

Vue aérienne du Parc.
(Collection : Parc du Mont-Tremblant)

le parc accessible aux gens et, par la suite, de protéger la nature. Soixante-trois années après sa création, en 1958, le parc est ouvert au grand public puis, en 1981, sa vocation prend un virage décisif : désormais, le Parc du Mont-Tremblant sera consacré à préserver et mettre en valeur son environnement exceptionnel. Le Parc du Mont-Tremblant vient de rejoindre les grands parcs du monde.

Situé à deux heures de route au nord de Montréal, le Parc du Mont-Tremblant est le plus grand espace protégé du Québec. D'une superficie de 1492 kilomètres carrés, l'équivalent de la moitié du Luxembourg, il se compose essentiellement de lacs, de montagnes, de rivières, de vallées, de forêts sauvages et il abrite de très nombreux animaux.

Le territoire est bordé au nord par l'immense réserve faunique Rouge-Matawin ; à l'ouest par la rivière Cachée, le lac Tremblant et le Mont Tremblant ; et à l'est par le secteur de la rivière l'Assomption. Le Parc se divise en deux grandes régions. Au nord s'étend la région des grands lacs au relief peu accidenté, et au sud se trouve la région du massif qui comprend plusieurs montagnes imposantes. On y dénombre le massif du Mont Tremblant formé d'un bloc monolithique entouré de vallées larges et profondes, la zone des collines carrées qui occupe une grande portion du territoire et qui est composée de sommets élevés et de parois abruptes. La zone des collines allongées est caractérisée par la présence de collines parallèles aux formes allongées.

Le Parc compte trois secteurs principaux : les secteurs de la Diable, de la Pimbina et de l'Assomption. Chacun de ces secteurs possède une tête de rivière, c'est-à-dire que trois bassins hydrographiques prennent naissance dans le Parc pour se déverser dans trois rivières d'importance : la rivière l'Assomption se jette dans le fleuve Saint-Laurent, la rivière du Diable se jette dans la rivière Rouge puis dans l'Outaouais et enfin la Matawin se déverse dans le Saint-Maurice. Les principales vallées, celle de la Diable, de l'Assomption et de la Cachée, jouissent d'un climat plus clément que l'ensemble du Parc.

Par ailleurs, on compte 400 lacs et six rivières dans le parc qui abritent 26 espèces de poissons dont le touladi, l'omble de fontaine, le grand brochet et

(Photo: Daniel Lévesque)

la ouananiche, sorte de saumon qui vient se reproduire dans les eaux de la rivière Cachée. Le peuplement forestier typique est celui scientifiquement appelé l'érablière à bouleau jaune. Les forêts abritent 186 espèces d'oiseaux et de nombreux mammifères dont l'ours, le loup, le coyote, le cerf de Virginie, le renard, le castor et l'orignal, le seigneur de nos forêts.

Les étés sont modérément chauds et les hivers sont froids. On compte environ 100 jours sans gel en été, avec des températures moyennes de 17,5°C. L'hiver est rigoureux et la neige atteint une épaisseur de trois mètres. Bien que la température moyenne de janvier, le mois le plus froid, se situe autour de -17°C, les écarts atteignent et dépassent souvent les -40°C.

REMERCIEMENTS

Andrée Des Lauriers
Pierre Gougoux
Hôtel Gray Rocks
Daniel Lévesque
Danielle Lloyd

Peggy Austin
André Bédard
Benoît Berthiaume
Roger Blais
Bob Bourdon
Pierre Brisson
Pete Chauvin
Claude Comtois
Pierre Dupuis
André Filion
Paul Gervais
Marie-Claire Gravel
Philippe Grenier
Keith Nesbitt
Michèle Valcourt
Bev Waldorf
Archives du Québec
Archives nationales du Canada
Musée canadien du ski
Paroisse de Saint-Jérôme
Penguin Ski club
Photo Côté, Sainte-Agathe-
   des-Monts
Les Éditions Alain Stanké
Les Éditions McGill-Queen's

ENTREVUES

Joe Houssian
Roger Beauchemin
Paul Gélinas
Léo Samson
Gaston Cloutier
Laurent Paquette
Paul Larue
Peter Duncan
Michel Beaulieu
Gavin McDonald
Rémi Cloutier
André Charron
André F. Sigouin
Roger McCarthy
Louis Cloutier
Stan Ferguson
Guy Fradette

*Entrevues avec les
instructeurs de ski de l'école*

Michèle Martin
Isabelle Rochefort
Julie Nantel
Pierre Godbout
Bob Gilmour
Ken Bradley
Réjean Bélanger
Michel Beaulieu

*Entrevues pour
le 60ᵉ anniversaire
de Tremblant -
Archives de Guy Fradette*

Lucile Wheeler
Joanne Hewson
Janet McCulloch
Lucille Duncan
Jacques Gratton
Conrad Guay
Réal Charrette

Table